愛蔵版《あいぞうばん》

ジュニア空想《くうそう》科学《かがく》読本《どくほん》⑥

柳田理科雄《やなぎたりかお》・著
藤嶋《ふじしま》マル・絵

汐文社《ちょうぶんしゃ》

本当《ほんとう》にあればいいのに！

マンガやアニメや昔話《むかしばなし》には、夢《ゆめ》のようなものがたくさん出《で》てくる。たとえば、どこでもドア。行《い》き先《さき》を唱《とな》えてドアをくぐれば、そこは目的地《もくてきち》！　そんなドアが本《ほん》当《とう》にあったら、どれほど便利《べんり》だろう。

たとえば、お菓子《かし》の家《いえ》。壁《かべ》も屋根《やね》もドアも、おいしいお菓子《かし》でできている家《いえ》があったら、モノスゴク嬉《うれ》しいだろうなあ。

でも、現実世界《げんじつせかい》にそういうものは存在《そんざい》しないし、「将来《しょうらい》は作《つく》れるかも」という話《はなし》さえ聞《き》かない。それどころか「この宇宙《うちゅう》では、どんなものも光《ひかり》の速《はや》さを超《こ》えられないから、どこでもドアは実現《じつげん》できない」とか「お菓子《かし》の家《いえ》を作《つく》ったら、アリが来《き》て大変《たいへん》なことになるのでは？」といった、可《か》能性《のうせい》を否定《ひてい》するような意見《いけん》ばかりが聞《き》こえてくる。これらの指摘《してき》や心配《しんぱい》は正論《せいろん》のようにも聞《き》こえるけれど、果《は》たしてそうだろうか。

１９８５年《ねん》に、日本《にっぽん》で初《はじ》めて携帯《けいたい》する電話《でんわ》が登場《とうじょう》したとき、それは重《おも》さが３kgもあり、肩《かた》にかけて運《はこ》ぶものだった。「やはり電話《でんわ》を持《も》ち歩《ある》くのは難《むずか》しいのでは？」という声《こえ》もあった。でも「重《おも》くなる原因《げんいん》は、電池《でんち》の重《おも》さにある。ならば、軽《かる》い電池《でんち》は作《つく》れないか」と考《かんが》える人《ひと》たちがいて、軽《かる》くて長持《ながも》ちする電池《でんち》が次々《つぎつぎ》に開発《かいはつ》され、携帯電話《けいたいでんわ》が発展《はってん》していったのだ。

どんなものにも、欠点《けってん》はある。人《ひと》が夢見《ゆめみ》るものには、多《おお》くの場合《ばあい》、理論《りろん》や技術《ぎじゅつ》の壁《かべ》が立《た》ちはだかる。だからといって全否定《ぜんひてい》したり、諦《あきら》めたりしたら、すべてはそこで終《お》わってしまう。

僕《ぼく》は、欠点《けってん》や壁《かべ》があるのはいいことだと思《おも》っている。それらに正面《しょうめん》から取《と》り組《く》むと、問題《もんだい》の本《ほん》質《しつ》は何《なに》で、どこに解決《かいけつ》の糸口《いとぐち》がありそうかなど、いろいろなことが見《み》えてくる。大発見《だいはっけん》と思《おも》ったことが見当違《けんとうちが》いで、失敗《しっぱい》することもあるけれど、それもムダではない。さまざまな経験《けいけん》を積《つ》み重《かさ》ねて、新《あたら》しいものは生《う》み出《だ》されていくのだ。

『ジュニア空想科学読本《くうそうかがくどくほん》』シリーズは、そのプロセスの楽《たの》しさを伝《つた》えたいと思《おも》って書《か》き続《つづ》けている。とくに今回《こんかい》は「アニメやマンガに出《で》てくるものは実現《じつげん》できないか」という視点《してん》を大切《たいせつ》にしたつもりだ。完全《かんぜん》な球形《きゅうけい》のアンパンは作《つく》れないか？　カエルを正面向《しょうめんむ》きにシャツに張《は》りつかせるには、どうすればいいか？　秘技《ひぎ》「ゴールずらし」を実践《じっせん》する方法《ほうほう》はないのか!?　こんな問題《もんだい》を、笑《わら》いながら真剣《しんけん》に考《かんが》えてもらえれば嬉《うれ》しい。

いつか読者《どくしゃ》の皆《みな》さんのなかから、みんなが夢見《ゆめみ》るものを本当《ほんとう》に作《つく》り出《だ》してくれる人《ひと》が出《で》てきたら、どんなに素晴《すば》らしいだろう。いや、きっと現《あらわ》れるに違《ちが》いない。そんなことを夢想《むそう》しながら書《か》いた『ジュニア空想科学読本《くうそうかがくどくほん》⑥』です。どうかお楽《たの》しみください。

愛蔵版《あいぞうばん》

ジュニア空想科学読本《くうそうかがくどくほん》⑥

目次《もくじ》

とっても気《き》になるマンガの疑問《ぎもん》

『ドラえもん』のどこでもドアは、いつか実現《じつげん》するのでしょうか？

マンガやアニメに出《で》てくるアイテムのなかで、実現《じつげん》してほしいものを一《ひと》つだけ選《えら》べと言《い》われたら、「どこでもドア」と答《こた》える人《ひと》が多《おお》いのではないかなあ。

行《い》き先《さき》を唱《とな》えてドアを開《あ》ければ、そこは目的地《もくてきち》。登録《とうろく》された地図《ちず》に載《の》っている10光年以内《こうねんいない》の場所《ばしょ》なら、どこへでも行《い》けるという。

モノスゴク便利《べんり》だ。雨《あめ》がひどくて学校《がっこう》に行《い》きたくないときなど、どこでもドアがあったら、間違《まちが》いなく使《つか》ってしまうだろう。筆者《ひっしゃ》など、飲《の》み屋《や》で酔《よ》っ払《ぱら》ったときに、どこでもドアで自宅《じたく》にパッと帰《かえ》れたら、どんなにラクだろうと思《おも》います〜。

などと、これほど超絶便利《ちょうぜつべんり》なドアの使《つか》い道《みち》として、ご近所《きんじょ》しか思《おも》いつかない自分《じぶん》が悲《かな》しいが、実現《じつげん》したら本当《ほんとう》に便利《べんり》だろう。そんな日《ひ》が、いつか来《く》るのだろうか？

◆実現《じつげん》は可能《かのう》なのか？

こんなに便利《べんり》などこでもドアが、実用化《じつようか》されそうな気配《けはい》さえないのは、なぜだろう。大学《だいがく》や企業《きぎょう》で、どこでもドアが研究《けんきゅう》されているという話《はなし》すら聞《き》いたことがない。

どこでもドアの実現《じつげん》を阻《はば》むのは、アインシュタインが明《あき》らかにした「この宇宙《うちゅう》では、どんな物体《ぶったい》も光《ひかり》の速《はや》さを超《こ》えて運動《うんどう》することはできない」という法則《ほうそく》だ。どこでもドアは10光年《こうねん》以内《いない》、つまり光《ひかり》の速《はや》さで10年《ねん》かかる距離《きょり》以内《いない》であれば瞬間的《しゅんかんてき》に移動《いどう》できるから、明《あき》らかに光速《こうそく》を超《こ》えることになり、この法則《ほうそく》に引《ひ》っかかる。よって実現《じつげん》は不可能《ふかのう》、という話《はなし》になってしまう。

だが、その一方《いっぽう》で「どこでもドアによく似《に》たものが、実際《じっさい》にあるのではないか」という説《せつ》もある。それは「ワームホール」と呼《よ》ばれるトンネルのようなもので、ある点《てん》から入《はい》ると、次《つぎ》の瞬間《しゅんかん》、離《はな》れた点《てん》に出《で》る。「この宇宙《うちゅう》」を通《とお》るわけではないので、アインシュタインの法則《ほうそく》にも触《ふ》れることはない。おお、どこでもドアそのまんま！　と喜《よろこ》びたくなるが「理論上《りろんじょう》は考《かんが》えられる」というだけで、存在《そんざい》する証拠《しょうこ》はまだ見《み》つかっていない。

では、ワームホールが存在《そんざい》したら、それを使《つか》ってどこでもドアを作《つく》ることは可能《かのう》なのだろうか。

ワームホールには、次《つぎ》のような特徴《とくちょう》がある。

①直径《ちょっけい》が0・0000000000000000000001㎜。これは、原子《げんし》の「10兆分《ちょうぶん》の1」の「1兆分《ちょうぶん》の1」という小《ち》ささだ。

↓人間《にんげん》は、とても通《とお》れない。ましてや、デカ頭《あたま》のドラえもんなど絶望的《ぜつぼうてき》！

②常《つね》に生《う》まれては消《き》えている。

↓発生《はっせい》した瞬間《しゅんかん》、エイヤッと飛《と》び込《こ》むしかない！　それで間《ま》に合《あ》うのか？

③出口《でぐち》がどこに開《ひら》くかわからない。

↓学校《がっこう》へ行《い》ったつもりが、アフリカへ出《で》たり。わ〜、遅刻《ちこく》は確実《かくじつ》だあ！

うーむ。どこでもドアが実現《じつげん》できる日《ひ》は、まだまだ遠《とお》いのだなあ。

だが、ドラえもんが生《う》まれる2112年《ねん》は、いまから約《やく》100年後《ねんご》。それだけの時間《じかん》があれば、何《なん》とかなるのでは……。科学《かがく》の進歩《しんぽ》に期待《きたい》したい！

◆ドアが閉《し》まらない！

科学《かがく》が発達《はったつ》して、どこでもドアが発明《はつめい》されたら、どんな使《つか》い方《かた》があるだろう？

どこへでも一瞬《いっしゅん》で行《い》けるのだから、通学《つうがく》・通勤時間《つうきんじかん》は0秒《びょう》。お盆《ぼん》や正月《しょうがつ》の帰省《きせい》ラッシュもどこ吹《ふ》く風《かぜ》だ。もちろん外国《がいこく》へも瞬時《しゅんじ》に行《い》ける。

筆者《ひっしゃ》としては、ぜひとも宇宙《うちゅう》に行《い》ってみたい。たとえば、38万《まん》km離《はな》れた月面《げつめん》や、最接近《さいせっきん》したときでさえ5500万《まん》kmも離《はな》れている火星《かせい》へ……。

また、夜空《よぞら》に輝《かがや》く星《ほし》のなかで、自分《じぶん》で光《ひか》っているものを「恒星《こうせい》」というが、恒星《こうせい》のうち、太陽《たいよう》を除《のぞ》けばいちばん近《ちか》いケンタウルス座《ざ》α星《アルファせい》へさえ、人類《じんるい》はまだ行《い》ったことがない。探査機《たんさき》を送《おく》り込《こ》んだこともない。だが、地球《ちきゅう》からの距離《きょり》は4・3光年《こうねん》だから、どこでもドアなら到達圏内《とうたつけんない》。

そこへ行《い》って、夜空《よぞら》の星《ほし》の一《ひと》つになった太陽《たいよう》を眺《なが》めてみたい！

などと夢《ゆめ》は膨《ふく》らむが、心配《しんぱい》なこともある。宇宙《うちゅう》とつながるドアを開《あ》けると、空気《くうき》がどばっと吸《す》い出《だ》されてしまうのではないだろうか？

計算《けいさん》してみると、ドアから吸《す》い出《だ》される空気《くうき》の風速《ふうそく》は、秒速《びょうそく》293m。これは時速《じそく》1060kmであり、音速《おんそく》に近《ちか》い。ドアを開《あ》けた瞬間《しゅんかん》、のび太《た》やドラえもんや筆者《ひっしゃ》は、岩《いわ》だらけの月面《げつめん》に叩《たた》きつけられるか、宇宙空間《うちゅうくうかん》に飛《と》ばされるか……。慌《あわ》てて閉《し》めようとしても、ドアからは秒速《びょうそく》293mの猛風《もうふう》が吹《ふ》き出《だ》しているのだから、とても閉《し》めることなどできないだろう。

これは大変《たいへん》だ。どこでもドアが、一般家庭《いっぱんかてい》によくある180cm×90cmのサイズなら、毎秒《まいびょう》56

０kgもの空気《くうき》が吹《ふ》き出《だ》すことになる。軽《かる》い空気《くうき》でこの重《おも》さとは大変《たいへん》な量《りょう》である。たちまち、地球《ちきゅう》は真空《しんくう》になってしまうのではないだろうか。

計算《けいさん》してみると、地球《ちきゅう》には５３００兆《ちょう》tの空気《くうき》があるから、すべて吸《す》い出《だ》されるには３億年《おくねん》かかる。なぁんだ、あわてなくても大丈夫《だいじょうぶ》じゃん。

いやいや、喜《よろこ》んではいられない。ドアから1m離《はな》れたところでは風速《ふうそく》75m、２m離《はな》れたところでも風速《ふうそく》18mの風《かぜ》が吹《ふ》く。風《ふう》速《そく》17・２m以上《いじょう》の風《かぜ》は台風《たいふう》と呼《よ》ばれるから、ドアの近《ちか》くでは３億年間《おくねんかん》、台風《たいふう》より強《つよ》い風《かぜ》が宇宙《うちゅう》へ向《む》かって吹《ふ》き続《つづ》けるのだ。

それでも、３ｍ離《はな》れれば風速《ふうそく》８ｍ、５ｍだと風速《ふうそく》３ｍ。つまり、離《はな》れていれば安全《あんぜん》だが、不用《ふよう》意《い》に近《ちか》づくと、吸《す》い込《こ》まれて宇宙《うちゅう》に捨《す》てられる地獄《じごく》の掃除機《そうじき》となる。どこでもドアの周辺《しゅうへん》は、地《ち》球《きゅう》でいちばん危険《きけん》な地帯《ちたい》になるだろう。

◆地球滅亡《ちきゅうめつぼう》の日《ひ》が迫《せま》る！

なんだか不穏《ふおん》な話《はなし》になってきたので、スバラシイ使《つか》い方《かた》を考《かんが》えよう。

たとえば、富士山《ふじさん》の頂上《ちょうじょう》に池《いけ》を作《つく》り、麓《ふもと》にも池《いけ》を作《つく》って水《みず》を張《は》り、水路《すいろ》でつなぐ。そして、どこでもドアを麓《ふもと》の池《いけ》のなかに置《お》いて「富士山《ふじさん》の頂上《ちょうじょう》の池《いけ》！」と叫《さけ》ぶのだ。すると、麓《ふもと》の池《いけ》の水《みず》は、頂上《ちょうじょう》の池《いけ》に出《で》て、水路《すいろ》を通《とお》って流《なが》れ落《お》ちてくる。そのとき、水路《すいろ》の壁《かべ》や底《そこ》から受《う》けるブレーキ力《りょく》を無視《むし》して計算《けいさん》すれば、水《みず》は３７７６ｍを流《なが》れ落《お》ちることによって、時速《じそく》９８０㎞＝マッハ０・８のスピードになっている。そして、そのままドアの入《い》り口《ぐち》に突入《とつにゅう》すれば、再《ふたた》び頂上《ちょうじょう》から流《なが》れ落《お》ちてきて、速度《そくど》はさらに上《あ》がる。そのスピードは、マッハ１・１３、マッハ１・３８、マッハ１・６……。夢《ゆめ》の永久機関《えいきゅうきかん》の実現《じつげん》だ！　水路《すいろ》に発電機《はつでんき》を置《お》けば、水力発電《すいりょくはつでん》もできる。

こう考《かんが》えると、どこでもドアはぜひとも実現《じつげん》してほしいし、世界中《せかいじゅう》に広《ひろ》まってもらいたい。

……と書《か》きながら思《おも》う。本当《ほんとう》にそうか？　どこでもドアが普及《ふきゅう》したら、本当《ほんとう》に幸《しあわ》せがやってくるのか？

たとえば、朝《あさ》の学校《がっこう》。使《つか》う人《ひと》が家《いえ》で「学校《がっこう》！」と叫《さけ》んだ瞬間《しゅんかん》、校庭《こうてい》に突如《とつじょ》ドアが現《あらわ》れるのだろう。すると、始業時間直前《しぎょうじかんちょくぜん》など、あっちでもこっちでもドアが出現《しゅつげん》！　人《ひと》が立《た》っている場所《ばしょ》にドアが出現《しゅつげん》しちゃったらどうなるんだろう？　想像《そうぞう》するだけで怖《こわ》い！

また、旅行《りょこう》や荷物《にもつ》を送《おく》るのもどこでもドアでできるから、鉄道会社《てつどうがいしゃ》も宅配会社《たくはいがいしゃ》も倒産《とうさん》してしまう。銀行《ぎんこう》の金庫《きんこ》に行《い》けば、強盗《ごうとう》はやり放題《ほうだい》。『ドラえもん』の劇中《げきちゅう》でも、のび太《た》は入浴中《にゅうよくちゅう》のしずかちゃんを訪《たず》ねていたし、プライバシーというものが、この世《よ》から消滅《しょうめつ》する！

そして、何《なに》より恐《おそ》ろしいのは、どこでもドアが全世界《ぜんせかい》に普及《ふきゅう》して、世界《せかい》の人々《ひとびと》がみんなで「宇《う》宙《ちゅう》へ行《い》きたい」と考《かんが》えたときだ。

世界《せかい》の人口《じんこう》が現在《げんざい》と同《おな》じ73億人《おくにん》だとして、73億台《おくだい》のどこでもドアがいっせいに宇宙《うちゅう》で開《ひら》いたら!?　世界各地《せかいかくち》で時速《じそく》１０６０㎞の風《かぜ》が吹《ふ》きすさび、地球《ちきゅう》の空気《くうき》はわずか15日《にち》でスッカラカン！

う～む、あまりに便利《べんり》すぎて、実現《じつげん》したら地球滅亡《ちきゅうめつぼう》の可能性《かのうせい》があるということか。心《こころ》から実現《じつげん》してほしいけど、あまりに危険《きけん》……。悩《なや》ましいなあ、どこでもドア問題《もんだい》。

とっても気《き》になる昔話《むかしばなし》の疑問《ぎもん》

『ヘンゼルとグレーテル』のお菓子《かし》の家《いえ》に憧《あこが》れます。実際《じっさい》に作《つく》れないものですか？

　この原稿《げんこう》を書《か》くにあたって、いろんな人《ひと》に「グリム童話《どうわ》の『ヘンゼルとグレーテル』を知《し》っている？」と聞《き》いてみたのだが、お話《はなし》はボンヤリとしか記憶《きおく》していない人《ひと》が多《おお》かった。だけど、その話《はなし》に出《で》てくる「お菓子《かし》の家《いえ》」だけは、誰《だれ》もが鮮明《せんめい》に覚《おぼ》えていた！

　念《ねん》のために、物語《ものがたり》を読《よ》み直《なお》したところ、それはこんなお話《はなし》である。

　幼《おさな》い兄妹《きょうだい》が、意地悪《いじわる》な母親《ははおや》によって森《もり》に置《お》き去《ざ》りにされてしまう。不安《ふあん》がる妹《いもうと》のグレーテルに、兄《あに》のヘンゼルは「道々《みちみち》パン屑《くず》を落《お》としてきたから、それをたどっていけば家《いえ》に帰《かえ》れる」と励《はげ》ますが、道《みち》に撒《ま》いてきたパン屑《くず》はすべて鳥《とり》に食《た》べられていた。森《もり》をさまよった2人《ふたり》は、お菓子《かし》の家《いえ》を発見《はっけん》。喜《よろこ》んで食《た》べていると、持《も》ち主《ぬし》の魔女《まじょ》につかまってしまう。魔女《まじょ》はヘンゼルを太《ふと》らせ、食《た》べようとするが、機転《きてん》を利《き》かせたグレーテルは、魔女《まじょ》をかまどに突《つ》き飛《と》ばして殺《ころ》す。２人《ふたり》は宝物《たからもの》を奪《うば》って家《いえ》に帰《かえ》り、優《やさ》しいお父《とう》さんと楽《たの》しく暮《く》らしましたとさ。

ぎょぎょ、全然楽《ぜんぜんたの》しくないじゃん、この話《はなし》。森《もり》に置《お》き去《ざ》りにされたり、魔女《まじょ》に食《た》べられそうになったり、その魔女《まじょ》を殺《ころ》したり……と、怖《こわ》い場面《ばめん》だらけだ。心《こころ》が躍《おど》るのはお菓子《かし》の家《いえ》を見《み》つけるところぐらい。なるほど、皆《みな》さんがそれ以外《いがい》のところを忘《わす》れてしまったのもナットクだなあ。

このお菓子《かし》の家《いえ》に憧《あこが》れた人《ひと》もいるだろう。「本当《ほんとう》にあったらいいのに！」と思《おも》った人《ひと》も多《おお》いはずだ。すると、不思議《ふしぎ》である。現実《げんじつ》の世界《せかい》には、なぜお菓子《かし》の家《いえ》がないのだろう？　現代《げんだい》には、お菓子《かし》もあるし、家《いえ》を作《つく》る技術《ぎじゅつ》もあるのに。お菓子《かし》の家《いえ》には、何《なに》か問題《もんだい》があるのだろうか。

◆どんな構造《こうぞう》の建物《たてもの》なのか？

お菓子《かし》の家《いえ》は、実際《じっさい》に作《つく》れるのか。その成否《せいひ》を分《わ》けるのは、お菓子《かし》で作《つく》った家屋《かおく》が、自分《じぶん》の重《おも》さを支《ささ》えて建《た》っていられるのかということだ。それはお菓子《かし》の家《いえ》が、どんなお菓子《かし》でできているかによるだろう。

まず、原典《げんてん》を読《よ》んでみよう。『完訳《かんやく》　グリム童話集《どうわしゅう》（一《いち》）』（金田鬼一《かねだきいち》訳《やく》／岩波文庫《いわなみぶんこ》）は、お菓子《かし》の家《いえ》をこのように描写《びょうしゃ》している。「その小《ちい》さな家《いえ》はパンでこしらえてあって、屋根《やね》は卵焼《たまごや》きのお菓子《かし》、窓《まど》は白砂糖《しろざとう》でできていました」。えっ、それだけ!?

う〜む、情報《じょうほう》が少《すく》ないなあ。パンをレンガのように積《つ》んだ構造《こうぞう》なのだろうか。グリム童話《どうわ》が生《う》まれたドイツのパンは硬《かた》いというが、それでもペシャンコになったりしないのか？ 屋根《やね》を構成《こうせい》しているという「卵焼《たまごや》きのお菓子《かし》」って何《なに》？ 白砂糖《しろざとう》でどうやって窓《まど》を作《つく》るの？

謎《なぞ》だらけなので『名作《めいさく》を1冊《さつ》で楽《たの》しむグリム絵本館《えほんかん》』(講談社《こうだんしゃ》)を読《よ》んでみると「それは、パンでできたいえでした。やねはクッキー、まどはこおりざとうです」。ふむ、クッキーに氷砂糖《こおりざとう》ね。

だが、これらの文章《ぶんしょう》は、家《いえ》の基本構造《きほんこうぞう》について、何《なに》も述《の》べていない。他《ほか》の絵本《えほん》も読《よ》んでみたが、その点《てん》は同《おな》じなので、挿絵《さしえ》を参考《さんこう》にしよう。

家《いえ》の全容《ぜんよう》と細部《さいぶ》が緻密《ちみつ》に描《えが》かれているのは前掲《ぜんけい》『グリム絵本館《えほんかん》』の絵《え》だ。これを詳細《しょうさい》に観察《かんさつ》すると……おおっ、柱《はしら》が棒《ぼう》の形《かたち》をしたキャンディでできている！

なるほど、柱《はしら》があるのなら、家《いえ》として成立《せいりつ》するかもしれない。しかも、柱《はしら》と柱《はしら》のあいだにはキャンディの梁《はり》が渡《わた》され、柱《はしら》と梁《はり》で囲《かこ》まれた長方形《ちょうほうけい》には、斜《なな》めにかしぐのを防《ふせ》ぐキャンディの「筋《すじ》交《か》い」が施《ほどこ》されている。キャンディ造《ぞう》ではあるけれど、家《いえ》を家《いえ》として成立《せいりつ》させるための基礎構造《きそこうぞう》をしっかり備《そな》えているのだ。これなら材料《ざいりょう》がお菓子《かし》でも、大丈夫《だいじょうぶ》かも！

◆お菓子《かし》の家《いえ》の力学《りきがく》

問題《もんだい》は「キャンディの柱《はしら》で、家《いえ》の重量《じゅうりょう》を支《ささ》えられるか」である。そこで直径《ちょっけい》1・5㎝の棒《ぼう》の形《かたち》をしたキャンディを買《か》ってきて、縦《たて》にして体重計《たいじゅうけい》に載《の》せ、上《うえ》から体重《たいじゅう》をかけてみた。ググッと力《ちから》をかけると、34kgでぐにゃりとツブれた。

この強度《きょうど》で、柱《はしら》自身《じしん》や梁《はり》や筋《すじ》交《か》い、そして壁《かべ》や屋根《やね》の重量《じゅうりょう》を支《ささ》えられるのだろうか。

ヘンゼルの身長《しんちょう》を10歳男児《さいだんじ》の平均《へいきん》に近《ちか》い140㎝として測定《そくてい》&計算《けいさん》すると、お菓子《かし》の家《いえ》は結《けっ》構大《こうおお》きい。横幅《よこはば》が3m、奥行《おくゆ》きが2・3m、屋根《やね》の高《たか》さが3・4mもある。日本間《にほんま》の広《ひろ》さにして4畳《じょう》で、充分《じゅうぶん》に人《ひと》が住《す》める広《ひろ》さだ。

ここから、重《おも》さを計算《けいさん》すると、柱《はしら》や梁《はり》や筋交《すじか》いなどの棒材《ぼうざい》が1・3t。クッキーでできた屋根《やね》は厚《あつ》さが20㎝もあり、市販《しはん》のクッキーを参考《さんこう》に計算《けいさん》すると1・6t。ここまでの小計《しょうけい》は、2・9tである。

わからないのが壁《かべ》で、挿絵《さしえ》では、完全《かんぜん》な平面《へいめん》になっている。どうすればパンでこんな平面《へいめん》が作《つく》れるのだろう? 皮《かわ》だけをはがしてまっすぐに伸《の》ばし、張《は》りつけているのかなあ? う〜ん。仕《し》方《かた》がないので、ここでは家全体《いえぜんたい》が2・9tより少《すこ》し重《おも》いと考《かんが》えよう。

これに、キャンディの柱《はしら》が耐《た》えられるのだろうか。家《いえ》を支《ささ》える4隅《すみ》の柱《はしら》は、直径《ちょっけい》17・5㎝。先《さき》ほどの実験結果《じっけんけっか》から計算《けいさん》すると、これ1本《ぽん》で4・6tを支《ささ》えられるはずだ。なんと、たった1本《ぽん》の柱《はしら》で、家《いえ》の総重量《そうじゅうりょう》をクリアした。4本《ほん》もあれば盤石《ばんじゃく》ということではないか。

◆理由《りゆう》はアレかなあ?

すると、いよいよ不思議《ふしぎ》である。なぜ、現実世界《げんじつせかい》にはお菓子《かし》の家《いえ》がないのだろう? 街《まち》を歩《ある》けば、見渡《みわた》す限《かぎ》り家《いえ》やビルが建《た》ち並《なら》んでいるから、一軒《いっけん》くらいお菓子《かし》の家《いえ》があってもよさそうなものだが……。

もちろん、雨《あめ》が降《ふ》ったらたちまち溶《と》けるだろうし、夏《なつ》などは直射日光《ちょくしゃにっこう》でチョコレートやキャンディがドロドロになりそうな気《き》もする。また、大量《たいりょう》のアリたちがやってきて凄惨《せいさん》なことに……という心配《しんぱい》もある。だが、童話《どうわ》と同《おな》じように森《もり》のなかに建《た》てることは諦《あきら》め、空調《くうちょう》の利《き》いたビル内《ない》に作《つく》るなど、お菓子《かし》の家《いえ》を建《た》てることだけを目標《もくひょう》にするなら、方法《ほうほう》はいくらでもあるはずだ。

よし、ここは一発《いっぱつ》、筆者《ひっしゃ》が建《た》ててみるか！　と思《おも》ってプランを練《ね》り始《はじ》めたところで、ややっ。

これ、かなりおカネがかかるんじゃないか？

筆者《ひっしゃ》が買《か》ってきたキャンディは32gで140円《えん》、クッキーは113gで158円《えん》。価格《かかく》が重《おも》さに比例《ひれい》するとしたら、これをそれぞれ1・3t、1・6tなどと爆買《ばくが》いすると、キャンディは550万円《まんえん》、クッキーは227万円《まんえん》、合《あ》わせて777万円《まんえん》！

材料費《ざいりょうひ》だけでこんなにかかるとなると、確実《かくじつ》に本物《ほんもの》の家《いえ》より高《たか》いだろう。おまけに建《た》っているのは、せいぜい3日《か》ぐらいだろうし。これでは、かなりの大金持《おおがねも》ちでも腰《こし》が引《ひ》けるかも……。

しかし、実際《じっさい》に作《つく》ってみたいなあ、お菓子《かし》の家《いえ》。本書《ほんしょ》のカバーにも、藤嶋《ふじしま》マルさんがとてもおいしそうなお菓子《かし》の家《いえ》を描《えが》いてくれている。いや〜、ホントに作《つく》ってみたい。

とっても気《き》になるマンガの疑問《ぎもん》

『俺《おれ》物《もの》語《がたり》!!』で、剛《ごう》田《だ》猛《たけ》男《お》はタイヤを浮《う》かせて激《げき》走《そう》していました。できることでしょうか?

これは奇跡《きせき》の少女《しょうじょ》マンガである!

筆者《ひっしゃ》はこれまで、少女《しょうじょ》マンガをあまり読《よ》んだことがなく、勝手《かって》に「引《ひ》っ込《こ》み思案《じあん》な普通《ふつう》の女《おんな》の子《こ》に、心優《こころやさ》しいイケメン男子《だんし》が想《おも》いを寄《よ》せてくれる物語群《ものがたりぐん》」と思《おも》っていた。しかも、そのイケメンはスリムで服《ふく》のセンスもよく、間違《まちが》っても『巨人《きょじん》の星《ほし》』の伴宙太《ばんちゅうた》や、『銀魂《ぎんたま》』の近藤勲《こんどういさお》のような硬骨漢《こうこつかん》ではない。そう思《おも》い込《こ》んで、なんとなく愉快《ゆかい》な気分《きぶん》じゃなかったノダ。なんでかなあ?

だから初《はじ》めて『俺物語《おれものがたり》!!』を知《し》ったときには衝撃《しょうげき》を受《う》けた。その後《ご》ヒットして、アニメ化《か》、映《えい》画化《がか》されたと知《し》り、もう本当《ほんとう》に驚《おどろ》いた。

主人公《しゅじんこう》の剛田猛男《ごうだたけお》は、高校《こうこう》1年生《ねんせい》。身長《しんちょう》2m、体重《たいじゅう》120kg！　短髪《たんぱつ》、ギョロ目《め》、タラコ唇《くちびる》のおっさん顔《がお》で、言葉《ことば》も荒《あら》い。だが、心優《こころやさ》しく、正義感旺盛《せいぎかんおうせい》で、友情《ゆうじょう》にも篤《あつ》い。いいぞ、猛男《たけお》！　キミはどうせ引《ひ》き立《た》て役《やく》か、傷《きず》つく役回《やくまわ》りなんだろうけど、オレは応援《おうえん》するぞ。

と思《おも》っていたら、この猛男《たけお》くんに、お菓子《かし》作《づく》りが趣味《しゅみ》の大和凜子《やまとりんこ》さんが一目惚《ひとめぼ》れした！　きっかけは、電車《でんしゃ》のなかで痴漢《ちかん》から救《すく》ってくれたこと。よもや自分《じぶん》が恋《こい》に縁《えん》があるなどと思《おも》わなかった猛男《たけお》に、凜子《りんこ》の気持《きも》ちはなかなか伝《つた》わらなかったが、ついに2人《ふたり》はカップルとなり、幸《しあわ》せな16歳《さい》の日々《ひび》を送《おく》っていく。いやあ世《よ》の中《なか》、捨《す》てたもんじゃありませんなあ！

など幸《しあわ》せな気持《きも》ちになる『俺物語《おれものがたり》!!』である。が、科学《かがく》を志《こころざ》す者《もの》として気《き》になるのは、猛男《たけお》の並外《なみはず》れた体力《たいりょく》だ。少女《しょうじょ》マンガの登場人物《とうじょうじんぶつ》としては稀有《けう》な、その超絶《ちょうぜつ》パワーを見《み》てみよう。

◆倒《たお》れてきた鉄骨《てっこつ》を支《ささ》える！

それは、猛男《たけお》がまだ凜子《りんこ》の気持《きも》ちに気《き》づいていなかったときのこと。

凜子《りんこ》が猛男《たけお》のためにザッハトルテを焼《や》いたのだが、猛男《たけお》は「凜子《りんこ》が好《す》きなのは、親友《しんゆう》の砂川《すなかわ》に違《ちが》いない」と思《おも》い込《こ》み、待《ま》ち合《あ》わせの公園《こうえん》に砂川《すなかわ》を連《つ》れていく。そこで砂川《すなかわ》がいかに優《やさ》しい男《おとこ》かを、凜子《りんこ》に滔々《とうとう》と語《かた》ってきかせ、凜子《りんこ》を困《こま》らせてしまう。微妙《びみょう》な雰囲気《ふんいき》のまま、公園《こうえん》を後《あと》にしようとした凛子《りんこ》の頭上《ずじょう》に、工事現場《こうじげんば》の巨大《きょだい》な鉄骨《てっこつ》が倒《たお》れ込《こ》んでくる！

猛男《たけお》はそれを両手《りょうて》でしっかりと受《う》け止《と》め、凛子《りんこ》を救《すく》う。しばらくは1人《ひとり》で鉄骨《てっこつ》を支《ささ》えていた猛《たけ》男《お》だったが、このままではツブされてしまいそうだ。やがて、助《たす》けられた凛子《りんこ》と砂川《すなかわ》も協力《きょうりょく》して鉄骨《てっこつ》を持《も》ち上《あ》げ、3人《にん》は事《こと》なきを得《え》たのだった――。

これは、すごい力《ちから》だ。倒《たお》れてきた鉄骨《てっこつ》は、高《たか》さが4mほどもあり、1辺《ぺん》20㎝ぐらいの柱《はしら》が2本《ほん》鉄板《てっぱん》に溶接《ようせつ》されているというイカツいものだった。このような鉄骨《てっこつ》は、厚《あつ》さ5㎜前後《ぜんご》の鉄板《てっぱん》ででてきていることが多《おお》い。猛男《たけお》が受《う》け止《と》めた鉄骨《てっこつ》もこの厚《あつ》さだとすると、重量《じゅうりょう》は275kgにもなる。

だが、これを受《う》け止《と》めた猛男《たけお》の腕力《わんりょく》は275kgどころではない。鉄骨《てっこつ》が倒《たお》れてくる勢《いきお》いを止《と》めるのにも、力《ちから》が必要《ひつよう》だからだ。猛男《たけお》が受《う》け止《と》める直前《ちょくぜん》、凛子《りんこ》に迫《せま》る鉄骨《てっこつ》は、すでに45度《ど》も傾《かたむ》いていた。猛男《たけお》は腰《こし》を落《お》として、この鉄骨《てっこつ》の真《ま》ん中《なか》あたりを両手《りょうて》で受《う》け止《と》めた。身長《しんちょう》2mの彼《かれ》がこのような受《う》け止《と》め方《かた》をした場合《ばあい》、出《だ》した力《ちから》は推定《すいてい》1・9t！　すごいな、猛男《たけお》！

しかし、筆者《ひっしゃ》がいちばん注目《ちゅうもく》したい事件《じけん》は、これではない。もっとすごいシーンがあるのだ。

◆タイヤを浮《う》かせて激走《げきそう》する！

あるとき猛男《たけお》は、柔道部《じゅうどうぶ》の2年生《ねんせい》に「頼《たの》む、助《たす》けてくれ！」と手《て》をついて頭《あたま》を下《さ》げられる。先《せん》輩《ぱい》の必死《ひっし》さに胸《むね》を打《う》たれた猛男《たけお》は、話《はなし》も聞《き》かず「わかったっス!!」と答《こた》える。いくら何《なん》でも即答《そくとう》しすぎだと思《おも》うが、猛男《たけお》はそういうヤツなのだ。頼《たの》みの内容《ないよう》は「月末《げつまつ》に控《ひか》えた他校《たこう》との対抗戦《たいこうせん》で、助《すけ》っ人《と》をしてほしい」ということだった。

これは猛男《たけお》にとって、難《むずか》しい依頼《いらい》ではなかった。彼《かれ》は中学《ちゅうがく》まで柔道部員《じゅうどうぶいん》で、国体《こくたい》にも出場《しゅつじょう》していたからだ。１２０kgの体《からだ》でそれほどの柔道経験《じゅうどうけいけん》があれば、対抗戦《たいこうせん》など楽勝《らくしょう》だろう。だが、それでも猛男《たけお》は全力《ぜんりょく》を尽《つ》くす。柔道《じゅうどう》の稽古《けいこ》に明《あ》け暮《く》れたうえに、タイヤを結《むす》びつけたロープを腰《こし》に巻《ま》き、引《ひ》っ張《ぱ》って走《はし》ったのである。

これは昔《むかし》から、マンガやアニメではお決《き》まりの特訓《とっくん》だが、筆者《ひっしゃ》はこのシーンに、目《め》を見張《みは》った。激走《げきそう》する猛男《たけお》の後方《こうほう》で、なんとタイヤが地面《じめん》から浮《う》いている！

これもマンガでは珍《めずら》しくない誇張表現《こちょうひょうげん》かもしれない。だが、猛男《たけお》が実際《じっさい》にやっているとすると、驚《おどろ》くべき光景《こうけい》となる。

ハチマキのように軽《かる》いものなら、風《かぜ》になびくこともある。だが、猛男《たけお》が引《ひ》っ張《ぱ》っているのは、重《おも》いタイヤなのだ。これが宙《ちゅう》に浮《う》くとは、どういうことか？

電車《でんしゃ》が走《はし》り始《はじ》めたとき、吊革《つりかわ》が一斉《いっせい》に後《うし》ろへ揺《ゆ》れるのを見《み》たことがないだろうか。このとき、吊革《つりかわ》の輪《わ》は、斜《なな》め後《うし》ろに持《も》ち上《あ》がっている。やがて電車《でんしゃ》のスピードが一定《いってい》になると、吊革《つりかわ》は走《はし》り出《だ》す前《まえ》と同《おな》じように、真《ま》っすぐ垂《た》れ下《さ》がる。ここからわかるのは、物体《ぶったい》がスピードを上《あ》げているあいだ、それに吊《つ》り下《さ》げられたものは、斜《なな》め後《うし》ろに持《も》ち上《あ》がるということだ。

猛男《たけお》のタイヤにも、これと同《おな》じ現象《げんしょう》が起《お》きているに違《ちが》いない。もちろんスタート前《まえ》は、電車《でんしゃ》の吊革《つりかわ》は真下《ました》に垂《た》れており、猛男《たけお》のタイヤは地面《じめん》の上《うえ》に置《お》かれているという違《ちが》いはある。だが、違《ちが》うのはそこだけで、吊革《つりかわ》もタイヤも、元《もと》の高《たか》さより高《たか》く持《も》ち上《あ》げられている点《てん》は変《か》わらない。つまり、猛男《たけお》は猛《もう》スピードで走《はし》っているだけではなく、ぐんぐん速度《そくど》を上《あ》げているはずなのだ！

そのスピードアップの勢《いきお》いは、どれほどか。マンガのコマで測定《そくてい》すると、タイヤを結《むす》びつけたロープは、真下《ました》から80度《ど》の角度《かくど》まで上《あ》がっている。ここから計算《けいさん》すると、猛男《たけお》は、物体《ぶったい》が落下《らっか》するときの５・７倍《ばい》の勢《いきお》いでスピードを上《あ》げ続《つづ》けていることになる。

これは猛烈《もうれつ》な加速《かそく》だ。地球上《ちきゅうじょう》で物《もの》を落《お》とすと、１秒後《びょうご》に時速《じそく》36km、２秒後《びょうご》に時速《じそく》72kmと、１秒《びょう》ごとに時速《じそく》36kmずつ速《はや》くなる。その５・７倍《ばい》ということは、１秒後《びょうご》に時速《じそく》２００km、２秒後《びょうご》に時速《じそく》４００km、３秒後《びょうご》に時速《じそく》６００km。７秒《びょう》で音速《おんそく》を突破《とっぱ》する！

これほどの加速《かそく》をするには、もちろん驚異的《きょういてき》な脚力《きゃくりょく》が必要《ひつよう》だ。物体《ぶったい》の落下《らっか》の５・７倍《ばい》の勢《いきお》いでスピードを上《あ》げるには、体重《たいじゅう》の５・７倍《ばい》の脚力《きゃくりょく》が要求《ようきゅう》される。猛男《たけお》の体重《たいじゅう》は１２０kgだから、６８０kg。これは、２tトラックが発進《はっしん》するときの力《ちから》に等《ひと》しい。うひょ〜。このヒト、高校柔道《こうこうじゅうどう》で

は、いやどんな柔道《じゅうどう》だろうと、無敵《むてき》である!

つまり、走《はし》ってタイヤを宙《ちゅう》に浮《う》かせられる人《ひと》は、もう特訓《とっくん》の必要《ひつよう》もないほどのパワーを有《ゆう》するということだ。それでもタイヤを浮《う》かせ続《つづ》ける猛男《たけお》は、なんとまっすぐな男《おとこ》だろう。こういう猛男《たけお》を好《す》きになった凛子《りんこ》さんも素晴《すば》らしいなあ。

ああ、わが心《こころ》の少女《しょうじょ》マンガ『俺物語《おれものがたり》!!』。男子《だんし》にもぜひ読《よ》んでもらいたいです。

とっても気《き》になるマンガの疑問《ぎもん》

『猫《ねこ》ピッチャー』のミー太郎《たろう》のように、猫《ねこ》がプロ野球選手《やきゅうせんしゅ》として活躍《かつやく》することはできますか？

読売新聞日曜版《よみうりしんぶんにちようばん》の連載《れんさい》マンガ『猫《ねこ》ピッチャー』は、実《じつ》にオモシロイ！　主人公《しゅじんこう》・ミー太郎《たろう》は1歳《さい》のオス猫《ねこ》であり、日本《にほん》プロ野球史上初《やきゅうしじょうはつ》の猫投手《ねことうしゅ》だ。セロリーグのヨリウミニャイアンツに所属《しょぞく》し、背番号《せばんごう》は２２２。

　ミー太郎以外《たろういがい》の選手《せんしゅ》は人間《にんげん》で、ニャイアンツはペナントレースの真《ま》っ最中《さいちゅう》。毎回激《まいかいはげ》しい真剣勝負《しんけんしょうぶ》が展開《てんかい》される……はずなのだが、敵《てき》も味方《みかた》もミー太郎《たろう》のかわいさにメロメロだ。ミー太郎自身《たろうじしん》、猫扱《ねこあつか》いされるのを嫌《いや》がりながらも、バットでつい爪《つめ》を研《と》いだり、ピッチャーズプレートに体《からだ》をすりすりしたり、味方《みかた》の攻撃中《こうげきちゅう》はベンチの選手《せんしゅ》の膝《ひざ》で居眠《いねむ》りしたり……と、猫《ねこ》らしさを存分《ぞんぶん》に発揮《はっき》している。

だが、そのピッチングはプロの投手《とうしゅ》として一級品《いっきゅうひん》。小《ちい》さな体《からだ》から繰《く》り出《だ》される最高時速《さいこうじそく》147km の剛速球《ごうそっきゅう》で、強打者《きょうだしゃ》たちをキリキリ舞《ま》いさせるのだ！

かわいさとすごさの落差《らくさ》が大《おお》きな猫《ねこ》である。本稿《ほんこう》では、実際《じっさい》に猫《ねこ》が野球《やきゅう》をやれたとしたら、どれほど活躍《かつやく》できるかを考《かんが》えてみよう。

◆なぜ猫《ねこ》がピッチャーになった？

ミー太郎《たろう》が、プロ野球史上初《やきゅうしじょうはつ》の猫投手《ねことうしゅ》になった理由《りゆう》は次《つぎ》のとおり。

飼《か》い主《ぬし》は女子高生《じょしこうせい》のユキちゃんである。彼女《かのじょ》のお父《とう》さんが大《だい》の野球《やきゅう》ファンで、ユキちゃんのお兄《にい》ちゃんには7歳《さい》のときから野球《やきゅう》を教《おし》えていた。それを見《み》ていた当時《とうじ》4歳《さい》のユキちゃんに、今度《こんど》はお兄《にい》ちゃんが野球《やきゅう》を教《おし》えてくれた。歳月《さいげつ》は流《なが》れ、15歳《さい》になったユキちゃんは、生後《せいご》3ヵ月《げつ》のミー太郎《たろう》に野球《やきゅう》を教《おし》えてあげる……。

それから半年後《はんとしご》、ミー太郎《たろう》は華麗《かれい》なフォームで「スパーン！」と速球《そっきゅう》を投《な》げられるようになっていた。その動画《どうが》をテレビに投稿《とうこう》したら、ニャイアンツの井狩監督《いかりかんとく》の目《め》に留《と》まり、スカウトされたのだった。

父《ちち》から息子《むすこ》へ、息子《むすこ》から妹《いもうと》へ、妹《いもうと》から飼《か》い猫《ねこ》へと受《う》け継《つ》がれた熱《あつ》い血潮《ちしお》の物語《ものがたり》……ともいえるが、要《よう》するにユキちゃんと練習《れんしゅう》した半年間《はんとしかん》にすべてのヒミツがあるわけだ。

ミー太郎《たろう》はこの短期間《たんきかん》に、後足《あとあし》で立《た》ち上《あ》がれるようになり、前足《まえあし》で硬式野球《こうしきやきゅう》ボールを握《にぎ》れるようになり、投球《とうきゅう》フォームを身《み》につけ、剛速球《ごうそっきゅう》を投《な》げられるようになったのだから。

ヒトが2本《ほん》の足《あし》で立《た》てるようになったのは、サル目《もく》として地球《ちきゅう》に誕生《たんじょう》してから6千万年後《せんまんねんご》である。これに比《くら》べれば、ネコ目《もく》であるミー太郎《たろう》の進化《しんか》はあまりにも速《はや》い。それもユキちゃんの奇跡《きせき》の指導《しどう》の賜物《たまもの》だろう。ニャイアンツ球団《きゅうだん》はミー太郎《たろう》だけでなく、ユキちゃんも投手育成《とうしゅいくせい》コーチとしてスカウトすべきではなかったか。

それにしても、足《あし》に肉球《にくきゅう》のある猫《ねこ》がどうやってボールを握《にぎ》るのだろう？　それは、ミー太郎《たろう》の初登場《はつとうじょう》のシーンで明《あ》かされている。なんと、ボールに爪《つめ》を立《た》てて握《にぎ》っているのだ！

人間《にんげん》のピッチャーも縫《ぬ》い目《め》に爪《つめ》をかけて投《な》げるから、その点《てん》ではまったく同《おな》じだったのだ。猫《ねこ》は爪《つめ》が鋭《するど》いから、この投《な》げ方《かた》ならピッチングも可能《かのう》かも……！

◆時速《じそく》300㎞超《ちょう》の剛速球《ごうそっきゅう》！

爪《つめ》を使《つか》って、猫《ねこ》がボールを投《な》げられるようになったとしよう。だが、ミー太郎《たろう》の小《ちい》さな体《からだ》で、

時速《じそく》１４７㎞もの速球《そっきゅう》が投《な》げられるのだろうか。

　作品《さくひん》のなかで、ミー太郎《たろう》は身《しん》長《ちょう》40㎝、体重《たいじゅう》３㎏であることが明《あき》らかにされている。

　すると、重《おも》さ１４５ｇの硬式《こうしき》野球《やきゅう》ボールは、ミー太郎《たろう》の体重《たいじゅう》の４・８％ほどにもなる。これを身長《しんちょう》１８０㎝、体重《たいじゅう》75㎏の人《にん》間《げん》のピッチャーに置《お》き換《か》えてみると、重《おも》さ３・６㎏のボールを投《な》げるのと同《おな》じだ。女子《じょし》砲丸投《ほうがんな》げで使《つか》う砲丸《ほうがん》が４㎏であることを考《かんが》えると、とんでもなく重《おも》いボールということになる。

しかも、ミー太郎《たろう》は人間《にんげん》に比《くら》べて、腕《うで》(前足《まえあし》)が極端《きょくたん》に短《みじか》い。右《みぎ》の体格《たいかく》の人間《にんげん》ピッチャーは、腕《うで》の長《なが》さが70㎝ほどになるが、マンガのコマで測定《そくてい》すると、ミー太郎《たろう》の前足《まえあし》は、たったの16㎝！速球《そっきゅう》を投《な》げるうえで、これは不利《ふり》だ。もし、同《おな》じ重《おも》さの筋肉《きんにく》で同《おな》じパワーが出《だ》せるなら、右《みぎ》の人《にん》間《げん》ピッチャーが時速《じそく》147㎞の速球《そっきゅう》を投《な》げられるとき、ミー太郎《たろう》が投《な》げられるストレートは時速《じそく》59㎞。あらら〜、遅《おそ》い〜。

だが、ミー太郎《たろう》が時速《じそく》147㎞の速球《そっきゅう》を投《な》げていることは、作品世界《さくひんせかい》の事実《じじつ》。ならば、ミー太《た》郎《ろう》の場合《ばあい》、筋肉《きんにく》が出《だ》せるパワーが、人間《にんげん》の何倍《なんばい》もあると考《かんが》えるべきだろう。

時速《じそく》147㎞とは、ミー太郎《たろう》が計算《けいさん》の上《うえ》で投《な》げられる速度《そくど》＝時速《じそく》59㎞の2・5倍《ばい》だ。これはスゴイ！ボールを投《な》げるのに必要《ひつよう》なパワーは「速度《そくど》×速度《そくど》×速度《そくど》」に比例《ひれい》するからだ。

つまり、ミー太郎《たろう》の筋肉《きんにく》のパワーは、人間《にんげん》の2・5×2・5×2・5＝15・6倍《ばい》。もしもミー太郎《たろう》が人間《にんげん》と同《おな》じ体格《たいかく》だったら、時速《じそく》368㎞という超剛速球《ちょうごうそっきゅう》が投《な》げられることになる！

◆全力投球《ぜんりょくとうきゅう》できるのは6球《きゅう》だけ!?

だが、筆者《ひっしゃ》は心配《しんぱい》でたまらない。

投手《とうしゅ》は、筋肉《きんにく》に蓄《たくわ》えた養分《ようぶん》をエネルギーに変《か》えて、ボールを投《な》げている。体重《たいじゅう》が3㎏しかないミー太郎《たろう》はそれだけ筋肉《きんにく》の量《りょう》が少《すく》ないから、蓄《たくわ》えられる養分《ようぶん》も少《すく》ないはずだ。そんなミー太郎《たろう》に、9イニング投《な》げられる体力《たいりょく》はあるのだろうか。

人間《にんげん》もミー太郎《たろう》も「重《おも》さ145gのボールを時速《じそく》147㎞で投《な》げる」のに必要《ひつよう》なエネルギーは同《おな》じはずだ。その場合《ばあい》、1球《きゅう》ごとに消費《しょうひ》する養分《ようぶん》の量《りょう》も同《おな》じになる。これを元《もと》に計算《けいさん》してみよう。

日本《にっぽん》の先発《せんぱつ》ピッチャーは、1試合《しあい》に多《おお》ければ150球《きゅう》ぐらい投《な》げる。そんな人間《にんげん》のピッチャーに比《くら》べると、ミー太郎《たろう》の体重《たいじゅう》は25分《ぶん》の1だ。すると、使《つか》える養分《ようぶん》も25分《ぶん》の1のはずだから、ミー太郎《たろう》の投《な》げられる球数《たまかず》は150÷25＝6球《きゅう》！　たった6球《きゅう》では、1イニングもたない。

ところがミー太郎《たろう》は、こうした筆者《ひっしゃ》の科学的《かがくてき》野球解説《やきゅうかいせつ》をはるかに超越《ちょうえつ》した活躍《かつやく》を見《み》せている。なんと、コミックス1巻《かん》の№《ナンバー》17では9回《かい》まで投《な》げきったうえに、1人《ひとり》のランナーも出《だ》さないパーフェクトを達成《たっせい》しているのだ！　これは日本《にほん》プロ野球史上《やきゅうしじょう》16人目《にんめ》の快挙《かいきょ》である。

こうなってくると、ミー太郎《たろう》の場合《ばあい》は「同《おな》じ重《おも》さの筋肉《きんにく》が蓄《たくわ》える養分《ようぶん》の量《りょう》」も、プロ野球投手《やきゅうとうしゅ》の25倍《ばい》くらいあると考《かんが》えざるを得《え》ない。あるいはミー太郎《たろう》が、とっても少《すく》ないエネルギーで、とっても速《はや》い球《たま》を投《な》げるスペシャルな投球術《とうきゅうじゅつ》を身《み》につけているのか……。

ああ、あの奇跡《きせき》の半年間《はんとしかん》に、ユキちゃんはミー太郎《たろう》にどんなトレーニングメニューを課《か》したのだろうか。その現場《げんば》に立《た》ち会《あ》いたかったなあ。

とっても気《き》になるアニメの疑問《ぎもん》

『エースをねらえ!』に、壁打《かべう》ちでボールを割《わ》った女性《じょせい》がいたそうです。あり得《え》ますか?

『エースをねらえ!』は、まことにインパクトの強《つよ》い作品《さくひん》だった。

主人公《しゅじんこう》・岡《おか》ひろみを鍛《きた》える宗方仁《むなかたじん》コーチが、まだ20代《だい》なのにプライベートを和服《わふく》で過《す》ごしていたり(しかも蜘蛛《くも》の巣《す》の柄《がら》だったりする!)、金髪《きんぱつ》で縦《たて》ロールのお蝶夫人《ちょうふじん》が、高校《こうこう》2年生《ねんせい》なのに「負《ま》けることをこわがるのはおよしなさい!」などと、伝統的《でんとうてき》なお嬢《じょう》さま言葉《ことば》で金言《きんげん》を口《くち》にしたり……と、一度《いちど》知《し》ったら忘《わす》れられない濃厚要素《のうこうようそ》がてんこ盛《も》りなのだ。

だが、この作品《さくひん》は１９７０年代《ねんだい》を代表《だいひょう》するスポ根少女《こんしょうじょ》マンガ&アニメの金字塔《きんじとう》である。筆者《ひっしゃ》としては、枝葉末節《しようまっせつ》にとらわれず、テニスを描《えが》いた場面《ばめん》に注目《ちゅうもく》すべきだと思《おも》いますっ!

筆者《ひっしゃ》がとくに驚《おどろ》いたのは、ライバルキャラ「加賀《かが》のお蘭《らん》」の特訓《とっくん》シーンだ。それは、アニメ版《ばん》の第《だい》6話《わ》に登場《とうじょう》する。

地区大会決勝戦《ちくたいかいけっしょうせん》を控《ひか》えたひろみが、練習《れんしゅう》しようと夜《よる》の公園《こうえん》へ出《で》かけると、対戦相手校《たいせんあいてこう》のエース・緑川蘭子《みどりかわらんこ》が壁打《かべう》ちをしていた。蘭子《らんこ》が壁《かべ》に向《む》かってサーブを打《う》つと、なんとボールが割《わ》れて破片《はへん》が飛《と》び散《ち》る。しかも、壁際《かべぎわ》にはボールの残骸《ざんがい》が無数《むすう》に散《ち》らばっているではないか。

ひろみはガタガタ震《ふる》えていたが、こんな光景《こうけい》を目《ま》の当《あ》たりにしたら、誰《だれ》だってビックリするだろう。ボールを割《わ》るほどのサーブとは、いったいどういうモノなのか!?

え？　それこそ枝葉末節《しようまっせつ》!?　う〜ん、そうかなあ。筆者《ひっしゃ》はこれ、科学的《かがくてき》に見過《みす》ごせないすごいシーンだと思《おも》うんだけど。

◆ゴムのボールが砕《くだ》け散《ち》る？

サーブでボールが割《わ》れるだけでも驚異《きょうい》だが、気《き》になるのはその割《わ》れ方《かた》である。

ひろみが目撃《もくげき》した場面《ばめん》では、割《わ》れたボールがいくつもの破片《はへん》となって飛《と》び散《ち》っていた。それらは、まるで割《わ》れたお茶碗《ちゃわん》のようであった。ゴムでできたボールが、こんな割《わ》れ方《かた》をするものだろうか？

ゴムのように軟《やわ》らかい物体《ぶったい》に力《ちから》をかけると、もっとも弱《よわ》い1ヵ所《しょ》が裂《さ》け始《はじ》める。すると、その場所《ばしょ》はますます弱《よわ》くなって破断《はだん》が進《すす》み、ついには2つに分断《ぶんだん》される。つまり、破壊《はかい》は常《つね》に1ヵ所《しょ》でしか起《お》こらず、破片《はへん》の数《かず》も最大《さいだい》2個《こ》なのである。

これはティッシュを裂《さ》いてみれば、よくわかる。両端《りょうはし》を持《も》って引《ひ》っ張《ぱ》る限《かぎ》り、必《かなら》ず2枚《まい》に破《やぶ》れ、3枚以上《まいいじょう》に分《わ》かれることはない。破壊《はかい》によっていくつもの破片《はへん》が生《しょう》じるのは、ガラスや氷《こおり》のように硬《かた》く脆《もろ》い物体《ぶったい》だけだ。

すると蘭子《らんこ》は、ガラスのボールを打《う》っていたのだろうか？

いや、それはあまりにも危険《きけん》であり、決勝戦《けっしょうせん》を目前《もくぜん》にしたテニス部《ぶ》のエースが、そんな酔狂《すいきょう》な行為《こうい》に及《およ》ぶはずはない。

ならば、ボールを凍《こお》らせて打《う》ったのか？

ボールのように軟《やわ》らかい物体《ぶったい》でも、凍《こお》らせて衝撃《しょうげき》を加《くわ》えると砕《くだ》け散《ち》る。だが、ボールを凍《こお》らせるためには液体窒素《えきたいちっそ》などを用意《ようい》せねばならない。この大事《だいじ》なときに、そんな理科実験《りかじっけん》ショーみたいなことをするかっつーの。

つまり、テニスの壁打《かべう》ちで、どんなに強《つよ》く打《う》ったとしても、ボールが「砕《くだ》け散《ち》る」という現象《げんしょう》が起《お》こるとは、とても考《かんが》えづらいのだ。

◆ボールがマンホール大《だい》にびよーん！

したがって、「ガラスのように砕《くだ》け散《ち》る」という側面《そくめん》は置《お》いといて、ここでは「ボールを壁《かべ》にぶつけて破壊《はかい》する」という事実《じじつ》だけを考《かん》えることにしよう。これだって、充分《じゅうぶん》に大変《たいへん》である。

ゴムは弾力性豊《だんりょくせいゆた》かな物質《ぶっしつ》だが、限界《げんかい》を超《こ》えて変形《へんけい》すると、ちぎれてしまう。蘭子《らんこ》が打《う》ったボールも、同《おな》じ原理《げんり》で破壊《はかい》されたと考《かんが》えるべきであろう。

壁《かべ》に衝突《しょうとつ》した瞬間《しゅんかん》、ボールはぺしゃんこになり、壁《かべ》に沿《そ》って押《お》し広《ひろ》げられたはずだ。このとき、ボールの表面《ひょうめん》には引《ひ》き伸《の》ばす力《ちから》が働《はたら》く。その力《ちから》が限界《げんかい》を超《こ》えた瞬間《しゅんかん》、どこかもっとも弱《よわ》い部分《ぶぶん》が裂《さ》けたのではないか。

では、その限界《げんかい》とは？　調《しら》べてみると、ゴムの強度《きょうど》には幅《はば》があり、2倍《ばい》から10倍《ばい》に伸《の》びると破《は》断《だん》するようだ。しかも、もともと球形《きゅうけい》だったボールが平面《へいめん》になるため、見《み》た目《め》の直径《ちょっけい》はさらに大《おお》きくなり、2・8倍《ばい》から14倍《ばい》に拡大《かくだい》したときに破断《はだん》することになる。

ということは、壁《かべ》にぶつかった瞬間《しゅんかん》、直径《ちょっけい》6・7㎝のテニスボールが、小《ちい》さくても直径《ちょっけい》19㎝、大《おお》きければ95㎝にまで、びよ～んと広《ひろ》がった……!?

にわかには想像《そうぞう》しがたい怪奇現象《かいきげんしょう》である。直径《ちょっけい》19㎝とはドンブリの大《おお》きさ、直径《ちょっけい》95㎝とはダンプカーのタイヤほどの大《おお》きさなのだ。テニスボールがそんなに広《ひろ》がるかなあ。だが、そうなって初《はじ》めて、ボールは薄《うす》く引《ひ》き伸《の》ばされ、弱《よわ》い部分《ぶぶん》から破断《はだん》して、2つに割《わ》れる可能性《かのうせい》が生《う》まれるのだ。

逆《ぎゃく》にいえば、こんなことでも起《お》こらない限《かぎ》り、テニスボールを壁《かべ》にぶつけて割《わ》ることはできないということだ。これを実践《じっせん》していた緑川蘭子《みどりかわらんこ》はすごい。さすが、宗方《むなかた》コーチの異母兄妹《いぼきょうだい》！　そう考《かんが》えると、2人《ふたり》のお父《とう》さんはさぞかしテニスがお得意《とくい》だったのでしょうなあ。

◆サーブのスピードは超音速《ちょうおんそく》！

こうした超常現象《ちょうじょうげんしょう》を起《お》こすには、もちろん超常的《ちょうじょうてき》なパワーが必要《ひつよう》だ。

ここでは、前述《ぜんじゅつ》した2～10倍《ばい》の中間《ちゅうかん》を取《と》って、ボールのゴムが「6倍《ばい》」に伸《の》びたときに破断《はだん》すると仮定《かてい》しよう。このとき、球体《きゅうたい》のボールが平面《へいめん》になることによって、見《み》た目《め》の直径《ちょっけい》は8・4倍《ばい》、すなわち57㎝になる。

硬式《こうしき》テニスボールには、1・8気圧《きあつ》の窒素《ちっそ》が入《はい》ったものと、通常《つうじょう》の圧力《あつりょく》で空気《くうき》が入《はい》ったものとがある。前者《ぜんしゃ》はゴムの厚《あつ》さが3・4㎜、後者《こうしゃ》は4・2㎜。薄《うす》いほうだとしても、壁《かべ》に衝突《しょうとつ》した衝撃《しょうげき》でこれほど変形《へんけい》させるための速度《そくど》は、時速《じそく》3400㎞＝マッハ2・7だ！

ひろみと蘭子《らんこ》の試合《しあい》を観戦《かんせん》していた尾崎先輩《おざきせんぱい》は「お蘭《らん》のサービスは男《おとこ》なみだ」と評《ひょう》していたが、

プロの男子選手《だんしせんしゅ》でもサーブの最《さい》高速度《こうそくど》は、サミュエル・グロス選手《せんしゅ》の時速《じそく》２６３㎞。男《おとこ》なんぞ、相手《あいて》にならん！

さて、こんなサーブを放《はな》つ蘭《らん》子《こ》さんは、どれほどの筋力《きんりょく》の持《も》ち主《ぬし》なのだろうか？

物体《ぶったい》に力《ちから》をかけて、エネルギーを与《あた》える現象《げんしょう》では「エネルギー＝力《ちから》×距離《きょり》」の関係《かんけい》がある。この場合《ばあい》の「距離《きょり》」とは、ボールがラケットに接触《せっしょく》してから離《はな》れるまでに、ボールが動《うご》く距離《きょり》のことだ。アニメでは測定《そくてい》できないので、推測《すいそく》するしかないが、どんなに長《なが》くても10㎝くらいのものではないだろうか。

すると、ラケットがボールを叩《たた》く力《ちから》は、最低《さいてい》でも25ｔになる。この女子高生《じょしこうせい》、一瞬《いっしゅん》とはいえ、ラケットに大型《おおがた》バス２台《だい》を載《の》せて支《ささ》えるような力《ちから》を出《だ》しているのだ。本当《ほんとう》にすごいな、緑川蘭子《みどりかわらんこ》。

もし皆《みな》さんが高校生《こうこうせい》になって、こんなすごい選手《せんしゅ》と対戦《たいせん》することになったら、とっとと棄権《きけん》したほうがよろしい。マッハ２・７のサーブを受《う》けたら、人生《じんせい》がそこで終《お》わってしまう可能性《かのうせい》があります。

とっても気《き》になるアニメの疑問《ぎもん》

アンパンマンの顔《かお》は球体《きゅうたい》だけど、どうやって焼《や》いたのでしょう？

1冊目《さつめ》の『ジュニア空想科学読本《くうそうかがくどくほん》』で、アンパンマンの顔《かお》の直径《ちょっけい》を測定《そくてい》したところ、76㎝という驚《おどろ》くべき結果《けっか》が出《で》た。しかもその形《かたち》は、どこから見《み》てもまん丸《まる》、すなわちボールのような球形《きゅうけい》。市販《しはん》のアンパンを元《もと》に計算《けいさん》してみたら、アンパンマンの顔《かお》の重量《じゅうりょう》は、なんと112㎏であった。頭《あたま》の重《おも》さだけでお相撲《すもう》さん並《なみ》というのにも驚《おどろ》くが、筆者《ひっしゃ》が気《き》になるのは、その形《かたち》である。ボールのような球形《きゅうけい》というのは、アンパンとしては珍《めずら》しすぎないだろうか？

アンパンというものは普通《ふつう》、下面《かめん》は平《たい》らで、上面《じょうめん》がふっくらとしたドーム形《がた》になっている。パン焼《や》き窯《がま》のトレイに接触《せっしょく》していた下面《かめん》は、自分《じぶん》の重《おも》さでどうしても平《たい》らになるからだ。

なのに、直径《ちょっけい》76㎝、重《おも》さ112kgもある巨大《きょだい》なパンが、下面《かめん》がツブれることもなく、完全《かんぜん》なる球形《きゅうけい》！　すごいことである。

本稿《ほんこう》では、ジャムおじさんがどうやって真《ま》ん丸《まる》いパンを焼《や》いているのかを、科学的《かがくてき》に推測《すいそく》してみよう。

◆どこで焼《や》いたのかなあ？

市販《しはん》のアンパンを買《か》ってきて、つぶさに観察《かんさつ》してみた。見《み》れば見《み》るほど、ふ〜む、うまそうだ。いや、いま重要《じゅうよう》なのは味《あじ》への期待感《きたいかん》ではなく、表面《ひょうめん》の状態《じょうたい》だ。平《たい》らな底面《ていめん》はしわがあったりデコボコしていたりして、焼《や》き色《いろ》にもムラがある。焼《や》くときにパンが膨張《ぼうちょう》するのに、底面《ていめん》がトレイに接触《せっしょく》しているため、均等《きんとう》に広《ひろ》がるのが邪魔《じゃま》されるからだろう。

側面《そくめん》は白《しろ》く、徐々《じょじょ》に色《いろ》を濃《こ》くしながら、艶《つや》やかなキツネ色《いろ》の上面《じょうめん》へと続《つづ》いている。この美《うつく》しい艶《つや》は、均等《きんとう》に膨張《ぼうちょう》した結果《けっか》、生《う》まれたと思《おも》われる。つまり、通常《つうじょう》のアンパンは部位《ぶい》によって色《いろ》が違《ちが》うのだ。

ところがアンパンマンの顔《かお》は、どこから見《み》ても一様《いちよう》なキツネ色《いろ》である。ひょっとして、中華鍋《ちゅうかなべ》のようなトレイに置《お》いて、ごろごろ転《ころ》がしながら焼《や》いたのだろうか？

いや、その焼《や》き方《かた》だと、アンパンマンの顔《かお》は全面《ぜんめん》がしわやデコボコだらけになるはずだ。そのうえ、目鼻《めはな》や口《くち》が押《お》しひしがれてノッペラボーとなり、ただの巨大《きょだい》アンパンになってしまう……。

では、ジャムおじさんはどうやって球体《きゅうたい》のパンを焼《や》いたのか？

アンパンマンの鼻《はな》や頬《ほお》は光《ひかり》を反射《はんしゃ》しており、その艶《つや》やかさは市販《しはん》のアンパンの上面《じょうめん》にそっくり。後頭部《こうとうぶ》や側頭部《そくとうぶ》にもしわや焼《や》きムラはない。ということは、可能性《かのうせい》は一《ひと》つしかない。アンパンマンの顔《かお》は何《なん》にも触《ふ》れることなく、宙《ちゅう》に浮《う》いた状態《じょうたい》で焼《や》かれたに違《ちが》いないっ！

◆地上《ちじょう》でまん丸《まる》に焼《や》く方法《ほうほう》

宙《ちゅう》に浮《う》かせてパンを焼《や》く。無重力《むじゅうりょく》の宇宙空間《うちゅうくうかん》なら、それも可能《かのう》だろう。あるいは、落下中《らっかちゅう》の飛《ひ》行機《こうき》の中《なか》も無重力状態《むじゅうりょくじょうたい》になるから、そこにパン焼《や》きの窯《かま》を持《も》ち込《こ》むという手《て》もある。

だが、宇宙《うちゅう》へ物《もの》を運《はこ》ぶには莫大《ばくだい》な費用《ひよう》がかかる。国際宇宙《こくさいうちゅう》ステーション（ISS《アイエスエス》）に物資《ぶっし》を送《おく》る「こうのとり」は、打《う》ち上《あ》げ費用《ひよう》85億円《おくえん》をかけて、6ｔの荷物《にもつ》を運《はこ》ぶ。1kgあたり142万円《まんえん》という計算《けいさん》になる。これで112kgのパン生地《きじ》を運《はこ》ぶと、それだけで1億《おく》5900万円《まんえん》！　ぼくらのアンパンマンが、史上《しじょう》もっとも高価《こうか》なパンになってしまう。

また、飛行機《ひこうき》の落下《らっか》による無重力状態《むじゅうりょくじょうたい》は30秒《びょう》しか続《つづ》かない。通常《つうじょう》のアンパンは180〜190

度《ど》のオーブンで、11〜13分《ぷん》で焼《や》き上《あ》がるというから、たった30秒《びょう》では、とても直径《ちょっけい》76㎝の巨大《きょだい》なパンは焼《や》けないだろう。

そもそも劇中《げきちゅう》のアンパンマンは、ジャムおじさんのパン工場《こうじょう》か、アンパンマンにそっくりな自《じ》動車《どうしゃ》アンパンマン号《ごう》で焼《や》かれていたのではなかったか。

やはり、地上《ちじょう》のパン焼《や》き窯《がま》で焼《や》かれたと考《かんが》えるべきだろうなあ。

地上《ちじょう》で物体《ぶったい》を浮《う》かせるとしたら、下《した》から猛烈《もうれつ》な風《かぜ》を当《あ》てるしかない。たとえば、すり鉢状《ばちじょう》の網《あみ》がついたパイプに息《いき》を吹《ふ》き込《こ》んで、小《ち》さなボールを浮《う》かばせる玩具《がんぐ》がある(左《ひだり》ページのイラスト参《さん》照《しょう》)。パン焼《や》き窯《がま》に、あれと同《おな》じような機構《きこう》をつければ、アンパンマンの顔《かお》を、浮《う》かべた状態《じょうたい》で焼《や》けるのではないだろうか。

その場合《ばあい》、どれほどの風《かぜ》を当《あ》てればよいのか。

前述《ぜんじゅつ》のとおり、アンパンマンの顔《かお》は直径《ちょっけい》76㎝、重《おも》さ112㎏もある。これほどの球体《きゅうたい》を浮《う》かせる風《かぜ》を計算《けいさん》してみると、うおっ、風速《ふうそく》82m！　1942年《ねん》に富士山《ふじさん》で観測《かんそく》された、わが国《くに》の史上《しじょう》最大風速《さいだいふうそく》(10分間《ぷんかん》の平均《へいきん》)72・5mを上回《うわまわ》るモーレツな風《かぜ》だ。

そんな風《かぜ》を一方向《いちほうこう》だけに当《あ》てられたらパン生地《きじ》はゆがんでしまう。キレイな球形《きゅうけい》にするには、風《かぜ》の強弱《きょうじゃく》を、場所《ばしょ》と時間《じかん》ごとに変化《へんか》させ、くるくる回《まわ》し続《つづ》けたほうがいいと思《おも》う。

また、焼《や》けたパンが冷《さ》めないように、吹《ふ》きつけるのは熱風《ねっぷう》でなければならない。風《かぜ》の通《とお》りをよくするために、パン焼《や》き窯《がま》を円筒形《えんとうけい》にする必要《ひつよう》もあろう。

アンパンマンの顔《かお》が焼《や》き上《あ》がるまでには、こうしたハイテクノロジーが注《そそ》ぎ込《こ》まれたと思《おも》われるのだ。

◆アンパンマンは4人《にん》いる!?

直径《ちょっけい》76㎝もある球形《きゅうけい》のパンとなると、焼《や》くのに相当《そうとう》の時間《じかん》がかかるだろう。

『料理《りょうり》のわざを科学《かがく》する　キッ

チンは実験室《じっけんしつ》』(ピーター・バラム著《ちょ》・渡辺正《わたなべただし》・久村典子《ひさむらのりこ》訳《やく》／丸善《まるぜん》)によれば、オーブンで焼《や》くのにかかる時間《じかん》は、同《おな》じ食材《しょくざい》なら、表面《ひょうめん》から中心《ちゅうしん》までの「最短距離《さいたんきょり》×最短距離《さいたんきょり》」に比例《ひれい》するという。

表面《ひょうめん》から中心《ちゅうしん》までの最短距離《さいたんきょり》とは、通常《つうじょう》のアンパンの場合《ばあい》、厚《あつ》さの半分《はんぶん》。球形《きゅうけい》のアンパンマンの場合《ばあい》、直径《ちょっけい》の半分《はんぶん》。筆者《ひっしゃ》が買《か》ってきたアンパンは、厚《あつ》さが４・５㎝だった。

ここから計算《けいさん》すると、通常《つうじょう》のアンパンの焼《や》き時間《じかん》を12分《ふん》と仮定《かてい》した場合《ばあい》、直径《ちょっけい》76㎝の球体《きゅうたい》アンパンマンが焼《や》けるまでには、なんと57時間《じかん》、すなわち２日《か》と９時間《じかん》かかる！

ジャムおじさんは、アンパンマンの顔《かお》を毎日《まいにち》取《と》り替《か》えてあげる。だが実《じつ》は、今朝《けさ》アンパンマンの顔《かお》となったアンパンは、２日《か》と９時間前《じかんまえ》に焼《や》き始《はじ》めたものなのだ。

このサイクルで考《かんが》えると、ジャムおじさんのパン工場《こうじょう》では、いつも２個《こ》または３個《こ》のアンパンマンの顔《かお》が、クルクル回《まわ》りながら焼《や》かれつつあることになる。外《そと》で活動《かつどう》しているアンパンマンを入《い》れて、その顔《かお》は最大《さいだい》４つ！　なんだかギョギョギョギョだ。

まあ、すべて推測《すいそく》だけど、ジャムおじさんは、これに類《るい》する苦労《くろう》と工夫《くふう》を重《かさ》ねて、アンパンマンの顔《かお》を焼《や》き続《つづ》けているはずなのだ。ホントに偉大《いだい》なパン屋《や》さんだなあ。

とっても気《き》になるゲームの疑問《ぎもん》

『ドラゴンクエスト』などに出《で》てくるドラゴンは火《ひ》を吐《は》くけど、生物《せいぶつ》にできることですか？

ドラゴンといえば、背中《せなか》の翼《つばさ》で空《そら》を飛《と》び、口《くち》から炎《ほのお》を吐《は》く……というイメージがある。
これは、ジャンルや作品《さくひん》を超《こ》えて共通《きょうつう》していて、ゲームの『ドラゴンクエスト』でも、小説《しょうせつ》の『ハリー・ポッター』でも、映画《えいが》の『ホビット』でも、ドラゴンというものは、たいてい火《ひ》を吐《は》くようだ。
火《ひ》を吐《は》かないドラゴンといえば、お笑《わら》いのドランクドラゴンと、『燃《も》えよドラゴン』のブルース・リーくらいではないかなあ。まあ、彼《かれ》らは人類《じんるい》だから、火《ひ》を吐《は》いたらビックリするけど。
しかし、よくよく考《かんが》えると不思議《ふしぎ》である。自然界《しぜんかい》には、体《からだ》から毒《どく》や光《ひかり》や電気《でんき》を出《だ》す生物《せいぶつ》はいるが、炎《ほのお》を出《だ》す生物《せいぶつ》はいない。なぜ、ドラゴンは口《くち》から火《ひ》が吐《は》けるのか。そして、火《ひ》なんか吐《は》いて、自分《じぶん》が熱《あつ》かったり、ヤケドしたりしないのだろうか？

◆体内《たいない》に可燃物《かねんぶつ》があるの？

火《ひ》が燃《も》えるのは、次《つぎ》の３つの条件《じょうけん》がそろったときだ。

①可燃物《かねんぶつ》がある ②酸素《さんそ》がある ③一定以上《いっていいじょう》の温度《おんど》

これを「燃焼《ねんしょう》の３条件《じょうけん》」という。可燃物《かねんぶつ》がなければそもそも燃《も》えないし、物《もの》が「燃《も》える」とは「酸素《さんそ》と結《むす》びつく」ことだから、酸素《さんそ》も不可欠《ふかけつ》だし、一定《いってい》の温度《おんど》以下《いか》では燃焼《ねんしょう》が進《すす》まない。火事《かじ》のときに消防車《しょうぼうしゃ》が水《みず》をかけるのは、燃《も》えている場所《ばしょ》の温度《おんど》を下《さ》げるためである。

すると、『ドラゴンクエスト』の竜王《りゅうおう》なども、口《くち》から火《ひ》を吹《ふ》く以上《いじょう》、燃焼《ねんしょう》の３条件《じょうけん》を満《み》たしているはずだ。

このうち、②の「酸素《さんそ》がある」は問題《もんだい》ない。『ドラクエ』の舞台《ぶたい》は陸上《りくじょう》だし、他《ほか》のドラゴンたちも陸上《りくじょう》で火《ひ》を吐《は》くから、自動的《じどうてき》に満《み》たされていると考《かんが》えていいだろう。

③の「一定以上《いっていいじょう》の温度《おんど》」についても、灯油《とうゆ》(40℃)や重油《じゅうゆ》(60℃)など、高《たか》い温度《おんど》にならないと燃《も》えない液体《えきたい》もあるが、たいていの気体《きたい》は通常《つうじょう》の気温《きおん》で火《ひ》がつく。ドラゴンが気体《きたい》を燃焼《ねんしょう》させてい

るとしたら、この条件《じょうけん》もクリアされる。

すると、考《かんが》えるべきは①の「可燃物《かねんぶつ》がある」だ。ドラゴンは体内《たいない》に燃《も》える気体《きたい》を持《も》っているのだろうか？


まず、われわれ人間《にんげん》の場合《ばあい》で考《かんが》えてみよう。人間《にんげん》の体内《たいない》に、可燃性《かねんせい》の気体《きたい》はあるのか。

人間《にんげん》の大腸《だいちょう》には100種《しゅ》もの細菌《さいきん》が棲《す》んでいる。そのなかには、消化《しょうか》できなかった食《た》べ物《もの》を分解《ぶんかい》して、さまざまな気体《きたい》を作《つく》るものがいる。その気体《きたい》は……そう、オナラになる。

人間《にんげん》のオナラには、窒素《ちっそ》、二酸化炭素《にさんかたんそ》、メタン、水素《すいそ》、酸素《さんそ》が含《ふく》まれる。このうち、メタンと水素《すいそ》は可燃性《かねんせい》の気体《きたい》だ。つまり、オナラは燃《も》える。前作《ぜんさく》『ジュニア空想科学読本《くうそうかがくどくほん》⑤』でも、『いなかっぺ大将《たいしょう》』のオナラ爆発事件《ばくはつじけん》を検証《けんしょう》したので、オナラに興味《きょうみ》のある方《かた》はそっちも併読《へいどく》しよう。

軽《かる》く宣伝《せんでん》が入《はい》ったが、人間《にんげん》も体内《たいない》に可燃性《かねんせい》の気体《きたい》を持《も》っているということだ。なのになぜ、口《くち》から火《ひ》を吐《は》けないかというと、それは、せっかく作《つく》った可燃性《かねんせい》ガスが「尻《しり》から出《で》る」からですね。なんというか、惜《お》しいなあ。

広《ひろ》く動物界《どうぶつかい》を見渡《みわた》すと、口《くち》から可燃性《かねんせい》の気体《きたい》を吐《は》くものもいる。たとえば、牛《うし》は4つの胃《い》を持《も》ち、最大《さいだい》の第《だい》一胃《い》で細菌《さいきん》を繁殖《はんしょく》させて、食《た》べた草《くさ》を分解《ぶんかい》させている。これによって消化《しょうか》しやすくなった草《くさ》と、細菌《さいきん》そのものを栄養源《えいようげん》とするためだ。その細菌《さいきん》のなかに、メタンを生成《せいせい》するものがいるので、牛《うし》のゲップにはメタンが含《ふく》まれ、地球温暖化《ちきゅうおんだんか》のわずかな要因《よういん》になっている。

すると、もしドラゴンが同《おな》じような仕組《しく》みでメタンを作《つく》っているとしたら、口《くち》から火《ひ》を吐《は》くのも、まったく不思議《ふしぎ》ではないことになる。意外《いがい》や意外《いがい》。考《かんが》えてみるもんですなあ。

◆どうやって火《ひ》をつける？

だが、口《くち》から火《ひ》なんぞ吐《は》いて、ドラゴン自身《じしん》は熱《あつ》くないのか。

炎《ほのお》の温度《おんど》は、ローソクの火《ひ》が１４００℃、ガスコンロの炎《ほのお》が１７００℃。いくらドラゴンでも、これを体《からだ》のなかで発生《はっせい》させ、食道《しょくどう》や気管《きかん》を通過《つうか》させて、口《くち》から吐《は》いたりしたら、たまったものではない。生物《せいぶつ》の体《からだ》はタンパク質《しつ》でできており、タンパク質《しつ》は70℃以上《いじょう》になると、変性《へんせい》して元《もと》に戻《もど》らなくなるからだ。これが、魚《さかな》や肉《にく》が煮《に》えたり焼《や》けたりするということで、人間《にんげん》の場合《ばあい》は「ヤケド」といわれる。

ドラゴンも生物《せいぶつ》である以上《いじょう》、口《くち》から炎《ほのお》そのものを吐《は》いたりしたら、自分《じぶん》が大《おお》ヤケドして悶絶《もんぜつ》、勇者《ゆうしゃ》たちは何《なに》もしていないのに大勝利《だいしょうり》、という結末《けつまつ》になる。ラッキー！

いやいや、ゲームでも小説《しょうせつ》でも映画《えいが》でも、そんなことは起《お》きていない。筆者《ひっしゃ》が思《おも》うに、ドラゴンたちは、可燃性《かねんせい》の気体《きたい》を口《くち》から吐《は》いてから、火《ひ》をつけているのではないか。口《くち》から火《ひ》を吐《は》く芸《げい》

をする人《ひと》たちも、灯油《とうゆ》を霧《きり》のようにして吹《ふ》き出《だ》し、空中《くうちゅう》で火《ひ》をつけている。

すると、新《あら》たな問題《もんだい》が発生《はっせい》する。火《ひ》を吐《は》く芸人《げいにん》さんなどは、ライターで火《ひ》をつけているが、ドラゴンたちはどうやって着火《ちゃっか》しているのか。ドラゴンはライターを隠《かく》し持《も》っているのか？

火炎放射器《かえんほうしゃき》は、燃料《ねんりょう》の噴出口《ふんしゅつこう》で、いつも小《ちい》さな種火《たねび》を燃《も》やしている。ガスコンロやガソリンエンジンでは、電気火花《でんきひばな》で火《ひ》をつける。また、ディーゼルエンジンでは、エンジンのなかで軽《けい》油《ゆ》や重油《じゅうゆ》の霧《きり》を空気《くうき》と混《ま》ぜて、圧縮《あっしゅく》して発火《はっか》させている。気体《きたい》には、圧縮《あっしゅく》すると温度《おんど》が上《あ》がる性《せい》質《しつ》があるのだ。

これらに学《まな》んでみよう。まず、ドラゴンの口《くち》のあたりをよ〜く観察《かんさつ》すると、種火《たねび》のようなものが見《み》えるのだろうか。う〜ん、とてもそうとは思《おも》えないなあ。

では、胃《い》のなかで可燃《かねん》ガスと空気《くうき》を混《ま》ぜて圧縮《あっしゅく》し、ディーゼルエンジン方式《ほうしき》で着火《ちゃっか》しているとか？　いや、だから、それをやったら体内《たいない》で燃焼《ねんしょう》が始《はじ》まってしまい、自分《じぶん》が大爆発《だいばくはつ》するって！

ことによると、牙《きば》が火打《ひう》ち石《いし》になっているのだろうか。火打《ひう》ち石《いし》は大理石《だいりせき》の仲間《なかま》で、生物《せいぶつ》の体《たい》内《ない》で作《つく》られることはないが、たとえばニワトリは、砂《すな》や小石《こいし》を胃《い》の後《うし》ろにある「砂嚢《さのう》」という袋《ふくろ》にためて、消化《しょうか》に役立《やくだ》てている。焼《や》き鳥《とり》で「砂肝《すなぎも》」と呼《よ》ばれるおいしい部分《ぶぶん》だ。ドラゴンも、牙《きば》に火打《ひう》ち石《いし》を仕込《しこ》んで、着火《ちゃっか》に役立《やくだ》てているのではないだろうか。

ただし、その場合《ばあい》、火打《ひう》ち石《いし》は唾液《だえき》で濡《ぬ》れてしまうから、火《ひ》がつきにくいはずだ。一発《いっぱつ》ではなかなか着火《ちゃっか》できず、火《ひ》がつくまで、獅子舞《ししまい》の獅子《しし》のように何度《なんど》も何度《なんど》も虚空《こくう》を噛《か》むことになる。なんと落《お》ち着《つ》きのないドラゴンであることか。

もし『ドラクエ』の竜王《りゅうおう》がこの方法《ほうほう》で着火《ちゃっか》しているとしたら、勇者《ゆうしゃ》は竜王《りゅうおう》が歯《は》をカチカチ噛《か》み合《あ》わせ始《はじ》めたときには要注意《ようちゅうい》だよ。

とっても気《き》になる特撮《とくさつ》の疑問《ぎもん》

ウルトラセブンはマッハ7で飛《と》びますが、生身《なまみ》の体《からだ》で飛《と》んでも大丈夫《だいじょうぶ》ですか？

ウルトラマンは、マッハ５で空《そら》を飛《と》ぶ。と、怪獣図鑑《かいじゅうずかん》などにはサラリと書《か》いてあるが、これはとんでもないスピードだ。

「マッハ」とは音速《おんそく》の何倍《なんばい》かを表《あらわ》す単位《たんい》。音速《おんそく》は気温《きおん》15℃のとき秒速《びょうそく》３４０ｍ＝時速《じそく》１２００kmで、これを超《こ》えるスピードを「超音速《ちょうおんそく》」という。ウルトラマンの飛行速度《ひこうそくど》・マッハ５も当然《とうぜん》ながら超音速《ちょうおんそく》で、そのスピードは時速《じそく》１２００km×５＝時速《じそく》６千《せん》km。新幹線《しんかんせん》の20倍《ばい》だ！

『ウルトラマン』以後《いご》、空《そら》を飛《と》ぶヒーローたちの飛行速度《ひこうそくど》は、必《かなら》ずといっていいほど「マッハ」で表《あらわ》されてきた。マッハ３とか５とか７とか、なぜか奇数《きすう》が多《おお》いけれど、とにかくみんながみん

な、超音速《ちょうおんそく》で飛《と》んでしまうのだ。

特撮《とくさつ》やアニメの世界《せかい》に、ここまで超音速《ちょうおんそく》が流通《りゅうつう》しているのは、現実《げんじつ》の世界《せかい》にも超音速《ちょうおんそく》で飛《と》ぶものが存在《そんざい》しているからだろう。航空自衛隊《こうくうじえいたい》のF《エフ》－15イーグルの最高速度《さいこうそくど》は、マッハ2・5。ジェット戦闘機《せんとうき》がマッハ2・5で飛《と》べるのなら、ウルトラマンがマッハ5で飛《と》ぶのも不思議《ふしぎ》ではないような気《き》がする。

だがそんな単純《たんじゅん》な問題《もんだい》なのか？　その能力《のうりょく》さえ持《も》っていれば、ヒーローたちが超音速《ちょうおんそく》で飛《と》んでも、何《なん》の支障《ししょう》もないのだろうか？

実《じつ》は、彼《かれ》らは重要《じゅうよう》な問題《もんだい》をスッカリ忘《わす》れている。超音速《ちょうおんそく》で飛行《ひこう》する際《さい》に生《しょう》じる「衝撃波《しょうげきは》」のことを！　本稿《ほんこう》では、それがいかに恐《おそ》ろしいものであるかを明《あき》らかにしてみたい。

◆衝撃波《しょうげきは》の形《かたち》とは？

物体《ぶったい》が超音速《ちょうおんそく》で飛行《ひこう》すると、先端《せんたん》から衝撃波《しょうげきは》が発生《はっせい》する。衝撃波《しょうげきは》とは、そこにだけエネルギーが集中《しゅうちゅう》した「空気《くうき》の壁《かべ》」で、真横《まよこ》から見《み》ると三角形《さんかくけい》、実際《じっさい》には立体《りったい》なので、ソフトクリームのコーンのような形《かたち》をしている(57ページのイラストを参照《さんしょう》)。

これが地上《ちじょう》に達《たっ》すると、人間《にんげん》には「ダン！」とか「ギン！」といった耳《みみ》をつんざく音《おと》として聞《き》こえ、窓《まど》ガラスを割《わ》るなどの破壊力《はかいりょく》を持《も》つ。その威力《いりょく》は、物体《ぶったい》が大《おお》きく、速度《そくど》が速《はや》く、距離《きょり》が近《ちか》いほど強《つよ》くなる。

ヒーローたちの飛行《ひこう》は例外《れいがい》なく超音速《ちょうおんそく》。ということは、みんながみんな、この衝撃波《しょうげきは》をぶっ放《ぱな》しながら空《そら》を飛《と》んでいるのだ。街《まち》はいったい、どうなってしまうのか。

たとえば、身長《しんちょう》40mのウルトラマンが、高度《こうど》1千《せん》mをマッハ5で飛《と》んでいるとしよう。この場《ば》合《あい》、ウルトラマンの進路《しんろ》から左右《さゆう》に3・3㎞ずつの幅《はば》で、下界《げかい》の窓《まど》ガラスはバリバリ割《わ》れ、人々《ひとびと》はバタバタ失神《しっしん》する。ウルトラマンの飛行速度《ひこうそくど》に合《あ》わせ、被災地域《ひさいちいき》もマッハ5で前方《ぜんぽう》に広《ひろ》がっていく！　なんて迷惑《めいわく》な正義《せいぎ》の味方《みかた》なのかっ。

◆ウルトラセブン墜落《ついらく》！

こうなるともう、怪獣《かいじゅう》を勝手《かって》に暴《あば》れさせておくのとどっちがマシか、という話《はなし》だが、ヒーローたちにはもう一《ひと》つ自覚《じかく》してほしいことがある。それは、超音速《ちょうおんそく》で飛行《ひこう》している物体自身《ぶったいじしん》も、自分《じぶん》が生《う》み出《だ》した衝撃波《しょうげきは》から逃《のが》れられない、という事実《じじつ》だ。

速度《そくど》が速《はや》いほど、衝撃波《しょうげきは》のコーンは細《ほそ》くなる。つまり、先端《せんたん》の角度《かくど》は小《ちい》さくなる。衝撃波《しょうげきは》を発《はっ》生《せい》させている物体自身《ぶったいじしん》も、そのコーンからはみ出《だ》せば、衝撃波《しょうげきは》を受《う》けてしまうのだ。

現実《げんじつ》の飛行機《ひこうき》の場合《ばあい》、翼《つばさ》に衝撃波《しょうげきは》を受《う》けると、破壊《はかい》される以前《いぜん》に、空気《くうき》の流《なが》れが乱《みだ》れて飛《と》ぶ力《ちから》を失《うしな》い、墜落《ついらく》してしまう。超音速機《ちょうおんそくき》の翼《つばさ》が細長《ほそなが》い三角形《さんかくけい》になっているのは、自分《じぶん》が発生《はっせい》させた衝《しょう》撃波《げきは》のコーンからはみ出《だ》さないためなのだ。F《エフ》－15イーグルはマッハ2・5で飛行《ひこう》するが、このときに発生《はっせい》する衝撃波《しょうげきは》の先端角《せんたんかく》は47度《ど》である。あの形《かたち》ならはみ出《だ》さず、安全《あんぜん》ということだ。

ところが、空想科学《くうそうかがく》の世界《せかい》のヒーローたちは、そんなことを気《き》にしている様子《ようす》がまったくない。全員《ぜんいん》はみ出《だ》しまくりである。

まず、ウルトラマンから見《み》てみよう。彼《かれ》がマッハ5で空《そら》を飛《と》ぶとき、衝撃波《しょうげきは》の先端角《せんたんかく》は23度《ど》になる。テレビ画面《がめん》でお馴染《なじ》みの、両手《りょうて》をそろえて首《くび》を立《た》てるという姿勢《しせい》だと、目《め》から上《うえ》のあたりが、自分《じぶん》が発生《はっせい》させた衝撃波《しょうげきは》を受《う》け、砕《くだ》け散《ち》ってしまう！

それでも、彼《かれ》はまだマシだ。絶望的《ぜつぼうてき》に危《あぶ》ないのは、マッハ7で飛《と》ぶウルトラセブンである。衝《しょう》撃波《げきは》コーンの先端角《せんたんかく》は16度《ど》！

これはもう錐《きり》だ。しかも、理不尽極《りふじんきわ》まりないことに、セブンは両手《りょうて》を斜《なな》め前方《ぜんぽう》に広《ひろ》げて飛《と》ぶのである。この姿勢《しせい》では、両手《りょうて》からそれぞれ先端角《せんたんかく》16度《ど》の衝撃波《しょうげきは》が発生《はっせい》し、どちらも彼《かれ》の顔面《がんめん》を直《ちょく》撃《げき》する。顔《かお》はザクロのように弾《はじ》け散《ち》り、体《からだ》も2つに裂《さ》けてしまうのではないか。

想像《そうぞう》するだけで恐《おそ》ろしいが、事件《じけん》はこれだけでは終《お》わらない。絶命《ぜつめい》したウルトラセブンは当然《とうぜん》、

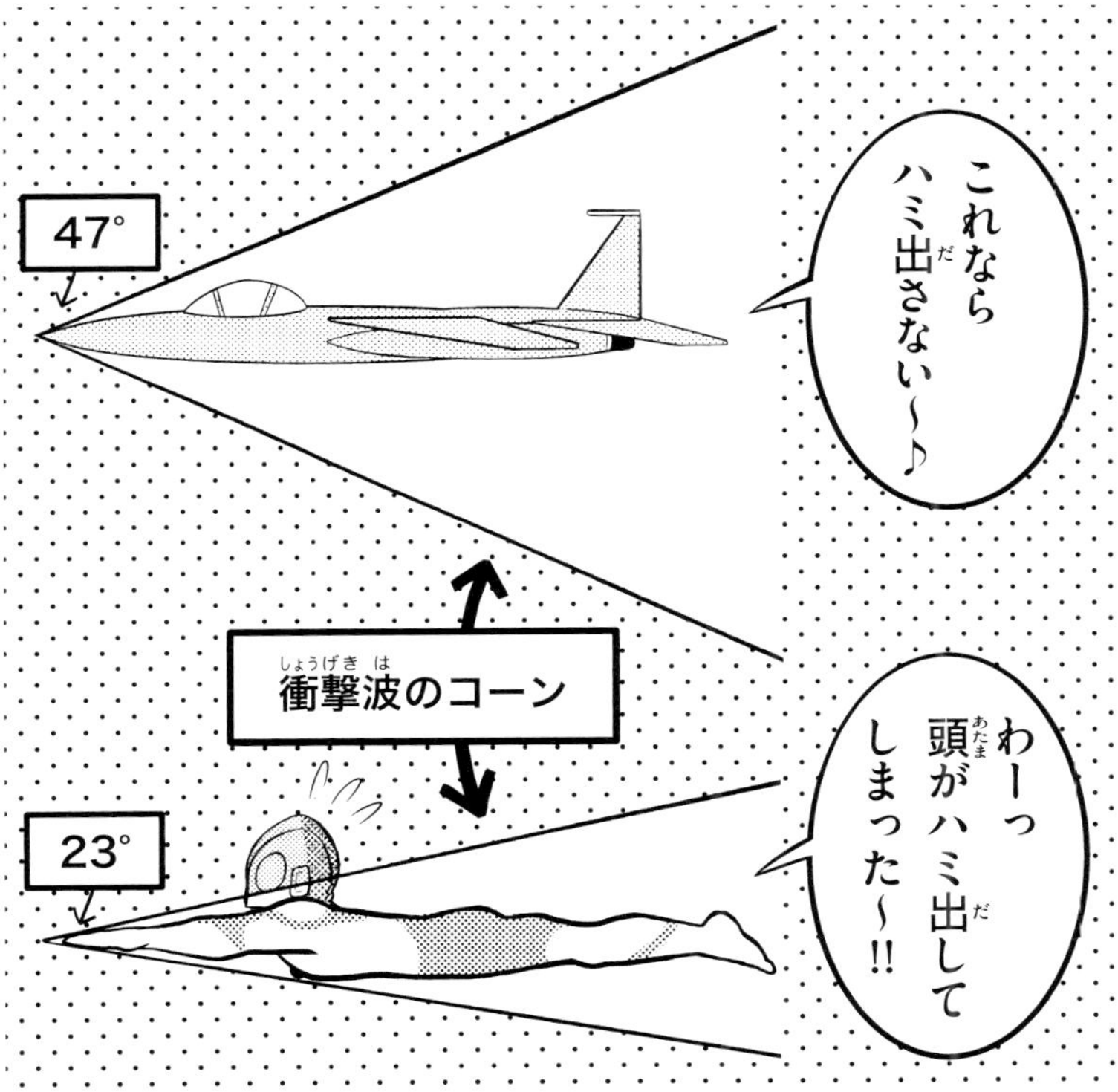

地上《ちじょう》に落下《らっか》してしまう。

上空《じょうくう》1千《せん》mでお亡《な》くなりになったとすると、落《お》ちてくるのは14・3秒後《びょうご》。この間《かん》に、水平方《すいへいほう》向《こう》に34㎞飛《と》ぶ。南西《なんせい》に向《む》かって飛行中《ひこうちゅう》、新宿上空《しんじゅくじょうくう》で墜落《ついらく》し始《はじ》めた場合《ばあい》、落下地点《らっかちてん》は八王子《はちおうじ》だ。

その八王子《はちおうじ》に、セブンは地面《じめん》に対《たい》して3・4度《ど》というスレスレの角度《かくど》で激突《げきとつ》する。この浅《あさ》い角度《かくど》では、平《たい》らな石《いし》を水面《すいめん》スレスレに投《な》げたときのように、何《なん》度《ど》もバウンドするだろう。一度《いちど》目《め》に身長《しんちょう》と同《おな》じ40mの高《たか》さまで跳《は》ね上《あ》がるとしたら、実《じつ》に17

0kmにわたってバウンドした後《のち》、愛知県《あいちけん》あたりから地面《じめん》を滑《すべ》り始《はじ》める。その後《ご》は、地面《じめん》との摩擦《まさつ》でスピードが落《お》ちるが、なにしろ滑《すべ》り始《はじ》めの速度《そくど》がマッハ7だから、なかなか止《と》まらない。琵琶《びわ》湖《こ》をかすめ、中国地方《ちゅうごくちほう》を横断《おうだん》し、総計《そうけい》780kmを走破《そうは》して、9分《ふん》30秒後《びょうご》に山口《やまぐち》で停止《ていし》する。

この墜落《ついらく》、バウンド、滑走《かっそう》で放《はな》たれるエネルギーは、ダイナマイト2万《まん》4千《せん》t分《ぶん》。広島《ひろしま》に落《お》とされた原子爆弾《げんしばくだん》の1・6倍《ばい》だ！　ウルトラ戦士《せんし》の超音速飛行《ちょうおんそくひこう》は、人類《じんるい》にとって天災以外《てんさいいがい》の何物《なにもの》でもない。

◆タロウは、5分刈《ぶが》りにせい！

兄《あに》がこれほど人類《じんるい》に迷惑《めいわく》をかけそうだというのに、まったく反省《はんせい》する様子《ようす》が見《み》られないのが、ウルトラマンA《エース》にウルトラマンタロウである。

この両名《りょうめい》の飛行速度《ひこうそくど》はマッハ20というのだから、もうどうしようもない。先端角《せんたんかく》は5・7度《ど》！　もう針《はり》ではないか。どうすればそんなコーンに体《からだ》を収《おさ》められるというのか!?

特《とく》にウルトラマンタロウ！　彼《かれ》は、頭《あたま》に大《おお》きな角《つの》がついている。そんなヘアスタイルで、マッハ20で飛《と》ぼうとは身《み》のほど知《し》らずも甚《はなは》だしい。スッパリ5分刈《ぶが》りにせい、5分刈《ぶが》りに！

あ。すいません。興奮《こうふん》して、髪《かみ》の毛《け》もない宇宙人《うちゅうじん》に理不尽《りふじん》な説教《せっきょう》をしてしまった。ウルトラマンたちが人類《じんるい》に迷惑《めいわく》をかけず、自《みずか》らの身《み》を滅《ほろ》ぼすこともなく、超音速《ちょうおんそく》で安全《あんぜん》に飛《と》ぶことはできないのか？

やっぱり、無難《ぶなん》なのは科学的《かがくてき》に正《ただ》しく設計《せっけい》されたメカに乗《の》って移動《いどう》することでしょうなあ。

え？　あのヒトたちはそんなモノは持《も》っておらず、宇宙空間《うちゅうくうかん》も裸《はだか》(たぶん)で飛《と》んでいる？

う〜ん、空気《くうき》のない宇宙空間《うちゅうくうかん》では衝撃波《しょうげきは》は発生《はっせい》しないけど、地球《ちきゅう》には大気《たいき》があるから、超音速《ちょうおんそく》で飛《と》ぶとどうしても衝撃波《しょうげきは》が発生《はっせい》してしまう……。

仕方《しかた》がないから、移動《いどう》はすべて歩《ある》くか走《はし》るかにしていただこう。地球《ちきゅう》の平和《へいわ》を守《まも》るためにわざわざ遠《とお》い星《ほし》からやってきたボランティアの方々《かたがた》に対《たい》して、まことに申《もう》し訳《わけ》ないが、地球《ちきゅう》と皆《みな》さま方《がた》の安全《あんぜん》のためには、それで我慢《がまん》してもらうほかないのである。因果《いんが》な星《ほし》に来《き》たと思《おも》って、諦《あきら》めていただきたい。

とっても気《き》になる怪談《かいだん》の疑問《ぎもん》

世界《せかい》には自分《じぶん》と同《おな》じ顔《かお》をした人《ひと》が他《ほか》に2人《ふたり》いて、出会《であ》ったら死《し》ぬそうです。ほ、本当《ほんとう》に？

ある駅《えき》で電車《でんしゃ》を待《ま》っていたときのこと。ホームを歩《ある》いてくる年配《ねんぱい》の女性《じょせい》を見《み》て、ぎょっとした。母方《ははかた》の叔母《おば》に生《い》き写《うつ》しではないか。

その叔母《おば》は筆者《ひっしゃ》の故郷《こきょう》の種子島《たねがしま》にいるはずで、東京《とうきょう》をうろうろしているはずはない。世《よ》の中《なか》には、似《に》た人《ひと》がいるものだなあと思《おも》いながら、つい彼女《かのじょ》の顔《かお》をまじまじと見《み》ていたら、目《め》が合《あ》った。すると！　彼女《かのじょ》は「ヒロユキさん！」と叫《さけ》んで、駆《か》け寄《よ》ってきたのである。心臓《しんぞう》が止《と》まりそうになった。ヒロユキとは、父方《ちちかた》の従兄弟《いとこ》の名前《なまえ》なのだ。呆然《ぼうぜん》とする筆者《ひっしゃ》に、彼女《かのじょ》は「あなた、連絡《れんらく》もしないでどこにいたの!?」と詰《つ》め寄《よ》るのだった。

必死《ひっし》に冷静《れいせい》になろうとしながら、考《かんが》える。筆者《ひっしゃ》の叔母《おば》にそっくりなこの女性《じょせい》には、顔《かお》が筆者《ひっしゃ》に瓜二《うりふた》つで、名前《なまえ》が筆者《ひっしゃ》の従兄弟《いとこ》と同《おな》じ身内《みうち》がいる……ということだ。

筆者《ひっしゃ》は懸命《けんめい》に自分《じぶん》はヒロユキさんではないと訴《うった》えた。だが、本物《ほんもの》のヒロユキさんは、どういう事情《じじょう》かはわからないが、失踪中《しっそうちゅう》らしい。すると本人《ほんにん》と認《みと》めなくて当然《とうぜん》であるから、筆者《ひっしゃ》が否定《ひてい》すればするほど、相手《あいて》の疑《うたが》いは深《ふか》まっていく……。

長《なが》い押《お》し問答《もんどう》の果《は》てに、彼女《かのじょ》は納得《なっとく》してくれたようだった。いや、ひとまず一歩《いっぽ》引《ひ》いただけか。こちらを何度《なんど》も振《ふ》り返《かえ》り、首《くび》をかしげながら去《さ》っていったのだから。

ボヤボヤしていると、一族郎党《いちぞくろうとう》を引《ひ》き連《つ》れて、筆者《ひっしゃ》を責《せ》め立《た》てに戻《もど》ってくるかもしれない。来《き》た電車《でんしゃ》に行《い》き先《さき》も見《み》ずに飛《と》び乗《の》って、思《おも》い出《だ》したのは「ドッペルゲンガー現象《げんしょう》」である。

この世《よ》には、自分《じぶん》にそっくりな人《ひと》が、自分《じぶん》を含《ふく》めて3人存在《にんそんざい》しており、そのうち2人《ふたり》が出会《であ》うとたちどころに死《し》んでしまうという。以前《いぜん》、オカルト好《ず》きな友人《ゆうじん》に聞《き》いたのは、そんな話《はなし》だった。

そのときは「なんて非科学的《ひかがくてき》な！」と笑《わら》って取《と》り合《あ》わなかった。しかし、自分《じぶん》とそっくりなヒロユキさんの存在《そんざい》を知《し》っただけで、筆者《ひっしゃ》の心臓《しんぞう》は止《と》まりかけたのだ。もし、ヒロユキさん本人《ほんにん》に会《あ》っていたら……。

うひょ〜ッ、怖《こわ》い！　これは何《なに》がなんでも、科学《かがく》の力《ちから》でこの恐怖《きょうふ》を振《ふ》り払《はら》わないと！

◆ぎょぎょ、意外《いがい》に確率《かくりつ》が高《たか》い!

ドッペルゲンガー現象《げんしょう》など、存在《そんざい》しない! そう言《い》い切《き》ってしまいたいのはヤマヤマなのだが、そうもいかない理由《りゆう》がある。

たとえば、筆者《ひっしゃ》がこの現象《げんしょう》を否定《ひてい》する根拠《こんきょ》を述《の》べたとしよう。「昔《むかし》、歌手《かしゅ》や俳優《はいゆう》のそっくりさんと本人《ほんにん》が対面《たいめん》するテレビ番組《ばんぐみ》があったが、誰《だれ》も死《し》ななかったではないか」。

これに対《たい》して、ドッペルゲンガー現象《げんしょう》の信奉者《しんぽうしゃ》は、おそらくこう反論《はんろん》するであろう。「そこそこ似《に》ているレベルではダメで、何《なに》から何《なに》まで完璧《かんぺき》に同《おな》じでなければ死《し》なないのです」と。

筆者《ひっしゃ》も負《ま》けずに応《おう》じる。「実際《じっさい》に経験《けいけん》した人《ひと》がいるのか? もし、自分《じぶん》と完全《かんぜん》に同《おな》じ人間《にんげん》を見《み》た人《ひと》が1人《ひとり》でもいたら、ネットで話題沸騰《わだいふっとう》しているはずだ」。

すると、こう返《かえ》される。「それを経験《けいけん》した人《ひと》はすべて死《し》んでいるのだから、目撃情報《もくげきじょうほう》がないのは当然《とうぜん》です」。わ〜、アッサリ論破《ろんぱ》されちゃった!

なかなか論理構造《ろんりこうぞう》のしっかりした現象《げんしょう》である。ヘタすると、うっかり信《しん》じてしまいそうだぞ、ドッペルゲンガー現象《げんしょう》。これは腰《こし》を据《す》えてかからねば。

ここは百歩譲《ひゃっぽゆず》って、自分《じぶん》と同《おな》じ顔《かお》の人間《にんげん》が、この世《よ》にあと2人《ふたり》いるとしよう。その場合《ばあい》、筆者《ひっしゃ》が彼《かれ》らに会《あ》ってしまう可能性《かのうせい》は、どのぐらいあるのだろうか。

もちろん「この世《よ》に」といっても、筆者《ひっしゃ》とまったく同《おな》じ顔《かお》の人《ひと》がブルガリアやエチオピアにいるとは思《おも》えないから、日本《にほん》の人口《じんこう》1億《おく》2700万人《まんにん》のなかで考《かんが》えよう。そして、明日《あす》1日《にち》に筆者《ひっしゃ》が出会《であ》う人《ひと》の数《かず》を、チラッと顔《かお》を見《み》る程度《ていど》の通行人《つうこうにん》を含《ふく》めて200人《にん》と仮定《かてい》しよう。

そのなかに、問題《もんだい》の2人《ふたり》が含《ふく》まれている確率《かくりつ》を計算《けいさん》すると、32万分《まんぶん》の1である。う〜ん、憂慮《ゆうりょ》すべき数値《すうち》なのか、放《ほう》っといても構《かま》わんレベルなのか、よくわかりませんなあ。

ならば、1年間《ねんかん》で考《かんが》えてみよう。365日《にち》以内《いない》に、彼《かれ》らに会《あ》ってしまう確率《かくりつ》を計算《けいさん》すると……ええっ、869分《ぶん》の1!?

こ、これはちょっと大《おお》きすぎるんじゃないか? 筆者《ひっしゃ》という1人《ひとり》の人間《にんげん》が死《し》ぬ確率《かくりつ》が869分《ぶん》の1ということは、日本人《にほんじん》の869人《にん》に1人《ひとり》が、1年以内《ねんいない》にドッペルゲンガー現象《げんしょう》で死亡《しぼう》するということだ。日本《にほん》の人口《じんこう》は1億《おく》2700万人《まんにん》だから、年間《ねんかん》死者数《ししゃすう》は14万《まん》6千人《せんにん》!

これは大変《たいへん》な数《かず》だ。2016年《ねん》に交通事故《こうつうじこ》で亡《な》くなった人《ひと》は3904人《にん》。それをはるかに上回《うわまわ》り、もしドッペルゲンガー現象《げんしょう》が本当《ほんとう》に起《お》きるとしたら、日本人《にほんじん》の死亡原因《しぼうげんいん》は、こうなる。

1位《い》　がん　年間《ねんかん》37万人《まんにん》
2位《い》　心臓疾患《しんぞうしっかん》　年間《ねんかん》19万《まん》6千人《せんにん》
3位《い》　ドッペルゲンガー現象《げんしょう》　年間《ねんかん》14万《まん》6千人《せんにん》

死《し》にすぎだって！　こんなにたくさんの人《ひと》がお亡《な》くなりになったら、ドッペルゲンガー現象《げんしょう》は国会《こっかい》で問題《もんだい》となり、テレビのニュースは「年末年始《ねんまつねんし》のお出掛《でか》けでは、ドッペルゲンガー現象《げんしょう》にお気《き》をつけください」と注意《ちゅうい》を喚起《かんき》するだろう。そういう騒《さわ》ぎになっていないということは、やはりドッペルゲンガー現象《げんしょう》など存在《そんざい》しないのだッ！

◆絶対《ぜったい》に生《い》き延《の》びるには？

いや、これは甘《あま》い期待《きたい》かも。たとえば、マンガ『DEATH NOTE《デスノート》』では、デスノートに名前《なまえ》を書《か》かれた人《ひと》は、40秒以内《びょういない》に心臓麻痺《しんぞうまひ》で死《し》んでいた。この場合《ばあい》の死因《しいん》は「デスノート」ではなく「心臓麻痺《しんぞうまひ》」ということだ。ドッペルゲンガー現象《げんしょう》で亡《な》くなった人《ひと》も、いろいろな死因《しいん》に振《ふ》り分《わ》けられているだけなのでは……？　うわ〜ん、考《かんが》えれば考《かんが》えるほど、怖《こわ》くなる〜。

よし、こうなったら、絶対《ぜったい》にドッペルゲンガー現象《げんしょう》に遭《あ》わない方法《ほうほう》を考《かんが》えよう。

ドッペルゲンガー現象《げんしょう》のありがたいところは、自分《じぶん》を含《ふく》めた3人《にん》のあいだで起《お》きることだ。自《じ》分以外《ぶんいがい》の2人《ふたり》が先《さき》に出会《であ》ってくれれば、自分《じぶん》が死《し》ぬ心配《しんぱい》はないことになる。お、イケるかも！　たとえば、人里離《ひとざとはな》れた山小屋《やまごや》に籠《こも》り、そのあいだに問題《もんだい》の2人《ふたり》がバッタリ会《あ》って、ポックリ逝《い》くのを待《ま》つ……いや、ダメだ。「そろそろいいかな」と思《おも》って山《やま》を下《お》りたら、麓《ふもと》のバス停《てい》に会《あ》っ

てはならないヤツがいた、などという不運《ふうん》があるかもしれない。

　2人《ふたり》を確実《かくじつ》に遭遇《そうぐう》させるには、自分《じぶん》の写真《しゃしん》をネットに流《なが》し「この顔《かお》にそっくりな人《ひと》は○月《がつ》×日《にち》午後《ごご》9時《じ》に渋谷《しぶや》のハチ公前《こうまえ》に来《き》てください。100万円《まんえん》を進呈《しんてい》します」と書《か》き添《そ》える。そして、自分《じぶん》は行《い》かない……。

　わ〜っ、いかん! ドッペルゲンガー現象《げんしょう》について考《かんが》えていると、ドンドン人《ひと》の道《みち》を踏《ふ》み外《はず》してしまう。どうか存在《そんざい》しないでください、ドッペルゲンガー現象《げんしょう》さま〜っ。

とっても気《き》になるマンガの疑問《ぎもん》

『絶体絶命《ぜったいぜつめい》でんぢゃらすじーさん』で、崖《がけ》から落下《らっか》したじーさんの危機脱出方法《ききだっしゅつほうほう》がすごすぎます。

ええと、もしいま、ご飯《はん》を食《た》べながらこの本《ほん》を読《よ》んでいる人《ひと》がいたら、本稿《ほんこう》は飛《と》ばして、別《べっ》のを読《よ》みましょう。「うんこ」という言葉《ことば》が43回《かい》も出《で》てくるよ。ご飯《はん》食《た》べられなくなっちゃうよ。

なぜそんな恐《おそ》ろしい原稿《げんこう》になったかというと、『絶体絶命《ぜったいぜつめい》でんぢゃらすじーさん』を研究《けんきゅう》したから。これは2001年《ねん》から「コロコロコミック」に掲載《けいさい》されたマンガで、現在《げんざい》でも続編《ぞくへん》『でんぢゃらすじーさん邪《じゃ》』が連載中《れんさいちゅう》。「おじいさんが孫《まご》に、世《よ》の中《なか》のあらゆる危険《きけん》から助《たす》かる方法《ほうほう》を教《おし》える」というマンガなのだが、じーさんの言《い》うとおりにしていると、ますますでんぢゃらすに陥《おちい》ることが多《おお》いというか、必《かなら》ずそうなるお話《はなし》である。

ある日《ひ》、じーさんが孫《まご》と散歩《さんぽ》に出《で》ようとすると、なぜか家《いえ》の周《まわ》りが全方位《ぜんほうい》、崖《がけ》になっていた。なぜそうなっていたのかは不明《ふめい》だが、世《よ》の中《なか》は危険《きけん》に満《み》ちているのだから、仕方《しかた》がない。崖《がけ》になっていたことに気《き》づかず、足《あし》を踏《ふ》み出《だ》した2人《ふたり》は、落下《らっか》していく。

だが、こんな状況《じょうきょう》でも、パニックにならないのが、ぼくらのでんぢゃらすじーさん。空中《くうちゅう》を落《お》ちながら、冷静《れいせい》に携帯電話《けいたいでんわ》を取《と》り出《だ》して、助《たす》けを呼《よ》ぼうとする。孫《まご》に「間《ま》に合《あ》わねーっつーの!!」と言《い》われ「ならばこれ以上《いじょう》！　落《お》ちなけりゃいいんじゃ!!」と叫《さけ》び、顔《かお》を赤《あか》くしてぷるぷるといきむ。孫《まご》に「……まさか、おならで飛《と》ぶとかいうんじゃねーだろうな……」と指摘《してき》されると、どうやらそれは図星《ずぼし》だったらしく、ギクッとしたじーさんは「ちちちちち　ちがわ――――い!!」と言《い》いつつ、「もりもりもりも〜〜〜」と、うんこをしたのである！　いやあ、これには筆者《ひっしゃ》もびっくりした！

じーさんとしては、うんこで椅子《いす》を作《つく》り、地面《じめん》との激突《げきとつ》を避《さ》けるつもりだという。はたしてこの方法《ほうほう》で、じーさんと孫《まご》は助《たす》かるのだろうか？

◆自分《じぶん》のうんこで串刺《くしざ》しに!?

この2人《ふたり》が置《お》かれている状況《じょうきょう》は、ホントのホントに絶体絶命《ぜったいぜつめい》である。

2人《ふたり》は、まっすぐ立《た》った姿勢《しせい》で落《お》ちていた。人間《にんげん》がこのような姿勢《しせい》で空中《くうちゅう》を落《お》ちると、速度《そくど》は時速《じそく》300㎞に達《たっ》する。このままでは、新幹線《しんかんせん》なみのスピードで地面《じめん》に叩《たた》きつけられてしまう！しかも、電話《でんわ》をかけたり、作戦《さくせん》を見抜《みぬ》かれてギクッとしたり、かなり長《なが》い時間《じかん》にわたって落下《らっか》している。落下開始《らっかかいし》からうんこフン出《しゅつ》までの2人《ふたり》のやりとりを1人芝居《ひとりしばい》で実演《じつえん》してみたところ、28秒《びょう》かかった。こんなに長《なが》く時速《じそく》300㎞で落《お》ち続《つづ》けてきたということは、2人《ふたり》はすでに2300m、つまり富士山《ふじさん》(3776m)の6割《わり》を超《こ》える高《たか》さを落《お》ちていることになる。わが国《くに》においては、どんな崖《がけ》も高《たか》さが富士山《ふじさん》を上回《うわまわ》るはずはないから、地面《じめん》はもうすぐだ！

ここまで追《お》い込《こ》まれた状況《じょうきょう》で、うんこの椅子《いす》を作《つく》れば、本当《ほんとう》に助《たす》かるのだろうか？

普通《ふつう》に考《かんが》えれば、うんこを椅子《いす》にしたところで、着地《ちゃくち》の瞬間《しゅんかん》に尻《しり》の下《した》でビチッと飛《と》び散《ち》って終《お》わりだろう。だが、作中《さくちゅう》のじーさんのうんこをつぶさに観察《かんさつ》すると、別《べつ》の可能性《かのうせい》も考《かんが》えられる。

じーさんのうんこは、まっすぐ下《した》に垂《た》れ下《さ》がっているのだ。うんこなんだから当然《とうぜん》じゃん、などと簡単《かんたん》に考《かんが》えてはいけない。じーさんは現在《げんざい》、時速《じそく》300㎞で落下中《らっかちゅう》なのである。うんこも、強烈《きょうれつ》な風圧《ふうあつ》にさらされているはずだ。

マンガのコマを測定《そくてい》すると、じーさんのうんこはもっとも太《ふと》い下部《かぶ》の直径《ちょっけい》が15㎝ほどもある。これを時速《じそく》300㎞の風《かぜ》が直撃《ちょくげき》すると、風圧《ふうあつ》は15㎏にもなる。想像《そうぞう》していただきたい。まっすぐ立《た》ったうんこに、２Ｌ入《リットルい》りのペットボトル７本《ほん》を載《の》せても微動《びどう》だにしない、という事態《じたい》を！

そのへんに転《ころ》がっている凡庸《ぼんよう》なうんこなら、いや、うんこがそのへんに転《ころ》がっていては困《こま》るのだが、ともかく折《お》れるか、そうでなければ上《うえ》に向《む》かって吹《ふ》き流《なが》され、やがてチギレるだろう。だが、じーさんのうんこは真下《ました》に向《む》かって力強《ちからづよ》く伸《の》びている。尊敬《そんけい》に値《あたい》するうんこである。

この強靱《きょうじん》なうんこなら、椅子《いす》として機能《きのう》し、じーさんの命《いのち》を救《すく》ってくれるのか。

じーさんは非常《ひじょう》に小柄《こがら》だが、体重《たいじゅう》30kgはあるだろう。現在《げんざい》、うんこが耐《た》えている風圧《ふうあつ》は15kg。これがうんこの限界強度《げんかいきょうど》なら、体重《たいじゅう》30kgのじーさんが上《うえ》に座《すわ》ると、あえなく潰《つぶ》れるだろう。

うんこにさらなる強度《きょうど》があれば、じーさんが助《たす》かる道《みち》も見《み》えてくる。だがそれは、じーさんの肛門《こうもん》が耐《た》えられれば、の話《はなし》。頑丈《がんじょう》すぎるうんこを尻《しり》から出《だ》したまま、時速《じそく》３００㎞で着地《ちゃくち》したら、地面《じめん》に激突《げきとつ》する衝撃《しょうげき》で、うんこはじーさんの肛門《こうもん》にめり込《こ》んでしまうだろう。大腸《だいちょう》のカーブに沿《そ》って、うまく再収納《さいしゅうのう》されるとは思《おも》えないから、自分《じぶん》のうんこで串刺《くしざ》しに！

自分《じぶん》のうんこで死亡《しぼう》！　という人類最低《じんるいさいてい》の汚辱《おじょく》を避《さ》けるには、うんこはむしろ軟《やわ》らかめのほうがいい。粘土《ねんど》のように、自分《じぶん》はぐんにゃり潰《つぶ》れながらも、落下《らっか》するじーさんにブレーキをかけて停止《ていし》させるのだ。現在《げんざい》、うんこの長《なが》さは２ｍほど。着地《ちゃくち》の衝撃《しょうげき》で、これが潰《つぶ》れて１ｍになると考《かんが》えよう。するとこの場合《ばあい》、着地《ちゃくち》の衝撃《しょうげき》で肛門《こうもん》にかかる力《ちから》は、10・６ｔ。うおっ、やっぱりうんこが全身《ぜんしん》を貫《つらぬ》く！

できることなら、着地《ちゃくち》の衝撃《しょうげき》を体重《たいじゅう》の2倍《ばい》くらいに抑《おさ》えたい。これなら、肛門《こうもん》が受《う》ける圧迫力《あっぱくりょく》は、自分《じぶん》と同《おな》じ体重《たいじゅう》の人《ひと》を膝《ひざ》に乗《の》せたときと同《おな》じぐらいだから、なんとか耐《た》えられるだろう。これが実現《じつげん》できるのは、着地《ちゃくち》の衝撃《しょうげき》で、うんこが３５４ｍ短《みじか》くなった場合《ばあい》だ。右《みぎ》のケースのように、潰《つぶ》れて半分《はんぶん》の長《なが》さになるとしたら、もともとの長《なが》さは７０８ｍ。高《たか》さ６３４ｍの東京《とうきょう》スカイツリーよりも長《なが》いうんこをしなければ助《たす》からないということだ！　うひゃー！

◆永遠《えいえん》に着地《ちゃくち》を避《さ》ける方法《ほうほう》！

現実的《げんじつてき》に考《かんが》えると「うんこで椅子《いす》を作《つく》って助《たす》かる」という作戦《さくせん》はきわめてきわめて難《むずか》しい。だが「落下防止策《らっかぼうしさく》としてのうんこ」という発想《はっそう》は、科学的《かがくてき》にきわめて優《すぐ》れている。

ロケットは大量《たいりょう》のガスを高速《こうそく》で噴射《ふんしゃ》して大気圏《たいきけん》を脱出《だっしゅつ》していく。じーさんのうんこも、理論的《りろんてき》にはこれと同《おな》じように、猛《もう》スピードで大量《たいりょう》にフン出《しゅつ》すれば、強《つよ》いブレーキがかかるはずである。

前述《ぜんじゅつ》したとおり、うんこの最下部《さいかぶ》は直径《ちょっけい》15㎝。最上部《さいじょうぶ》も測《はか》ると、直径《ちょっけい》5㎝。これで長《なが》さが２ｍなら、うんこの重量《じゅうりょう》は17kgとなる。推定体重《すいていたいじゅう》30kgのじーさんが、体重《たいじゅう》の半分《はんぶん》を超《こ》えるうんこをしたとは驚異的《きょういてき》だが、これだけの大大便《だいだいべん》を打《う》ち出《だ》せば落下《らっか》は止《と》められるのか？

　もちろん、うんこには、かなりのスピードが要求《ようきゅう》される。計《けい》算《さん》すると、その速度《そくど》は時速《じそく》670kmだ。長《なが》さは2mだから、わずか0・01秒《びょう》でぶりんっとフン出《しゅつ》！　時速《じそく》300kmで落下中《らっかちゅう》のじーさんの尻《しり》から発射《はっしゃ》されると、この高速《こうそく》うんこは時速《じそく》970kmで地面《じめん》に激突《げきとつ》。その上空《じょうくう》でじーさんたちの速度《そくど》はゼロとなり、助《たす》かることになる。
　だが、マンガの描写《びょうしゃ》を見《み》ると、じーさんの肛門《こうもん》には、これほどのフン出力《しゅつりょく》はなかったようだ。
　もし、じーさんが時速《じそく》670km

でうんこをしていたら、じーさんには逆噴射《ぎゃくふんしゃ》でブレーキがかかるが、うんこをしていない孫《まご》は時《じ》速《そく》300kmで落《お》ちていく……という展開《てんかい》になったはずである。ところが、2人《ふたり》はまったく同《おな》じ速《そく》度《ど》で落《お》ちていた。これを見《み》ると、どうやらじーさんはただ単《たん》に、ゆるゆるとうんこをしただけのようである。17kgものうんこが、何《なん》の役《やく》にも立《た》っていない！

結局《けっきょく》この2人《ふたり》はどうしたかというと、じーさんは早々《そうそう》にうんこ作戦《さくせん》をあきらめて、方針《ほうしん》を変更《へんこう》。「とにかく地面《じめん》につかなきゃいいんじゃ！」と叫《さけ》んで、どこからか1足《そく》100円《えん》の「ドリルブーツ」を取《と》り出《だ》し、両足《りょうあし》に装着《そうちゃく》して、どこまでも掘《ほ》り進《すす》んでいくのだった……。

な〜るほど。この方法《ほうほう》だと、じーさんに続《つづ》いて落下《らっか》する孫《まご》は、その穴《あな》を落《お》ち続《つづ》けるため、地面《じめん》には激突《げきとつ》しないで済《す》む。しかし、激突《げきとつ》しないためには、どこまでも掘《ほ》り続《つづ》けなければならない。しかも、地球《ちきゅう》の内部《ないぶ》では、深《ふか》く掘《ほ》るほど熱《あつ》くなり、中心部《ちゅうしんぶ》の温度《おんど》は6千《せん》℃！　これに耐《た》える物質《ぶっしつ》は存在《そんざい》しないから、じじ孫《まご》そろって、たちまち蒸発《じょうはつ》！　ウ〜ン、うんこ作戦《さくせん》とどっちがよかったのか……。

でんぢゃらすじーさんといっしょにいると、次《つぎ》から次《つぎ》にでんぢゃらすが襲《おそ》いかかる。見方《みかた》によっては、楽《たの》しそうとも言《い》えるかなあ。それも、命《いのち》があっての話《はなし》だけど。

とっても気《き》になるアニメの疑問《ぎもん》

『宇宙戦艦《うちゅうせんかん》ヤマト』の波動砲《はどうほう》と『ドラゴンボール』のかめはめ波《は》。どっちがすごい武器《ぶき》ですか?

波動砲《はどうほう》とかめはめ波《は》。『宇宙戦艦《うちゅうせんかん》ヤマト』と『ドラゴンボール』という、まったく世界観《せかいかん》の違《ちが》う作品《さくひん》の決《き》めワザだ。

だが、どちらも名前《なまえ》から推測《すいそく》するに、「波《なみ》」を使《つか》った武器《ぶき》なのだろう。そう考《かんが》えると比較《ひかく》してみたくなる。

筆者《ひっしゃ》としては、まずもって波動砲《はどうほう》やかめはめ波《は》が何《なに》の「波《なみ》」なのかを知《し》りたいが、どちらも詳《しょう》細《さい》は不明《ふめい》。そこで原理《げんり》はさておき、それぞれの劇中《げきちゅう》で、波動砲《はどうほう》とかめはめ波《は》が実際《じっさい》に何《なに》を破壊《はかい》したかに注目《ちゅうもく》して、両者《りょうしゃ》の威力《いりょく》を比《くら》べてみよう。

◆波動砲《はどうほう》とかめはめ波《は》が破壊《はかい》したもの

『宇宙戦艦《うちゅうせんかん》ヤマト』の波動砲《はどうほう》は、1974年《ねん》から放送《ほうそう》されたテレビアニメ第《だい》1シリーズ全《ぜん》26話《わ》では、実《じつ》はたった4回《かい》しか使《つか》われていない。

第《だい》1射《しゃ》　木星《もくせい》の浮遊大陸《ふゆうたいりく》を消滅《しょうめつ》させた

第《だい》2射《しゃ》　オリオン座《ざ》α星《アルファせい》でプロミネンス(星《ほし》の表面《ひょうめん》から立《た》ち昇《のぼ》る炎《ほのお》のようなもの)を吹《ふ》き飛《と》ばした

第《だい》3射《しゃ》　バラン星《せい》で人工太陽《じんこうたいよう》を破壊《はかい》した

第《だい》4射《しゃ》　ガミラス星《せい》で海底火山脈《かいていかざんみゃく》を撃《う》ち、大噴火《だいふんか》を誘発《ゆうはつ》して星《ほし》を崩壊《ほうかい》させた

このうちもっとも威力《いりょく》があったのは、アニメの描写《びょうしゃ》から判断《はんだん》して、浮遊大陸《ふゆうたいりく》を破壊《はかい》した第《だい》1射《しゃ》だろうと筆者《ひっしゃ》は思《おも》う。

一方《いっぽう》、かめはめ波《は》が破壊《はかい》した最大《さいだい》のものは、なんと月《つき》である。月《つき》の破壊《はかい》は、主人公《しゅじんこう》の悟空《ごくう》ではなく、彼《かれ》の師《し》・亀仙人《かめせんにん》によって行《おこな》われた。

第《だい》21回天下一武道会《かいてんかいちぶどうかい》で亀仙人《かめせんにん》は、弟子《でし》の悟空《ごくう》とクリリンが簡単《かんたん》に優勝《ゆうしょう》して「自分《じぶん》は強《つよ》い」と思《おも》い込《こ》むのを防《ふせ》ぐため、ジャッキー・チュンと名乗《なの》って出場《しゅつじょう》。準決勝《じゅんけっしょう》でクリリンを降《くだ》し、決勝戦《けっしょうせん》で悟空《ごくう》と対戦《たいせん》する。その試合中《しあいちゅう》、悟空《ごくう》は満月《まんげつ》を見《み》て大猿《おおざる》に変身《へんしん》し、暴《あば》れ始《はじ》める。亀仙人《かめせんにん》は観客《かんきゃく》を守《まも》り、悟空《ごくう》を元《もと》に戻《もど》すために「かめはめ波最大出力《はマックスパワー》」で月《つき》を跡形《あとかた》もなく破壊《はかい》したのだ。

すると、浮遊大陸《ふゆうたいりく》と月《つき》では、どちらを破壊《はかい》するほうが大変《たいへん》なのか、という話《はなし》である。

もちろん、それらが両者《りょうしゃ》の破壊《はかい》できる最大《さいだい》のものとは限《かぎ》らないが、ここでは「劇中《げきちゅう》で描《えが》かれたエピソードからわかる限《かぎ》り」という条件《じょうけん》の下《もと》で、両者《りょうしゃ》の威力《いりょく》を比較《ひかく》してみたい。

◆浮遊大陸《ふゆうたいりく》と月《つき》を比較《ひかく》する

月《つき》は、直径《ちょっけい》３４７６㎞、重《おも》さ７３５０京《けい》ｔ。直径《ちょっけい》は択捉島《えとろふとう》から与那国島《よなぐにじま》までの距離《きょり》を超《こ》え、重《おも》さは富士山《ふじさん》の７千万倍《せんまんばい》もある。これを壊《こわ》したかめはめ波《は》の威力《いりょく》は、つくづく侮《あなど》れない。

浮遊大陸《ふゆうたいりく》については、『ヤマト』劇中《げきちゅう》のナレーションが「ほぼオーストラリア大陸《たいりく》と同《おな》じ大《おお》きさ」と説明《せつめい》していた。オーストラリア大陸《たいりく》は、面積《めんせき》が７６１万《まん》㎢、東西《とうざい》の差《さ》し渡《わた》しが４千《せん》㎞、南北《なんぼく》３千《ぜん》㎞。おお、差《さ》し渡《わた》しでは、オーストラリアと月《つき》の直径《ちょっけい》は同《おな》じくらいなのか。比《くら》べてみるものですなあ。

しかし、月《つき》が球形《きゅうけい》であるのに対《たい》し、浮遊大陸《ふゆうたいりく》は「大陸《たいりく》」だけに上下《じょうげ》には薄《うす》い。アニメの画面《がめん》で測定《そくてい》すると、上下《じょうげ》の高低差《こうていさ》は、差《さ》し渡《わた》しの４分《ぶん》の１ほど。オーストラリア大陸《たいりく》と面積《めんせき》が同《おな》じで、上《うえ》から見《み》た形《かたち》が円《えん》だとすれば、差《さ》し渡《わた》しは３１００㎞、厚《あつ》さは８１０㎞となる。密度《みつど》が地球《ちきゅう》の岩石《がんせき》と同《おな》じなら、その重《おも》さは６２０京《けい》ｔだ。

これは月《つき》の12分《ぶん》の1である。すると逆《ぎゃく》に、かめはめ波《は》は波動砲《はどうほう》の12倍《ばい》の威力《いりょく》があったということ!? いや、実《じつ》はそのレベルには留《とど》まらない。天体《てんたい》や大陸《たいりく》ほども大《おお》きな岩石《がんせき》では、各部《かくぶ》が互《たが》いを引《ひ》き寄《よ》せる重力《じゅうりょく》の影響《えいきょう》で、破壊《はかい》するには、重《おも》さの違《ちが》いを超《こ》えて大《おお》きなエネルギーが必要《ひつよう》になる。

具体的《ぐたいてき》に計算《けいさん》すると、月《つき》を破壊《はかい》するエネルギーは、浮遊大陸《ふゆうたいりく》を破壊《はかい》するエネルギーの66倍《ばい》である。つまり、かめはめ波《は》のエネルギーは波動砲《はどうほう》の66倍《ばい》。この比較《ひかく》においては、かめはめ波《は》の大圧《だいあっ》勝《しょう》! 残念《ざんねん》だったねえ、ヤマトの諸君《しょくん》!

◆どんなふうに壊《こわ》したか?

デスラー総統《そうとう》ならこの時点《じてん》でヤマトの負《ま》けを宣告《せんこく》するだろうが、簡単《かんたん》に諦《あきら》めないのがヤマトの立派《りっぱ》なところ。筆者《ひっしゃ》もそれに倣《なら》って、両作品《りょうさくひん》をさらに細《こま》かく見《み》ていくと、おお、ヤマト逆転《ぎゃくてん》の可《か》能性《のうせい》が出《で》てきましたぞ!

『ドラゴンボール』では、亀仙人《かめせんにん》が月《つき》を壊《こわ》した12年後《ねんご》に、なんと今度《こんど》はピッコロが月《つき》を破壊《はかい》している。月《つき》は亀仙人《かめせんにん》が壊《こわ》したはずでは!? とびっくりするが、これは科学的《かがくてき》にもあり得《う》る話《はなし》だ。12年《ねん》のあいだに、飛《と》び散《ち》った月《つき》の破片《はへん》が互《たが》いの重力《じゅうりょく》で寄《よ》り集《あつ》まって、再《ふたた》び月《つき》に戻《もど》っていたのではないだろうか。

一方《いっぽう》、『ヤマト』の浮遊大陸《ふゆうたいりく》破壊《はかい》シーンでは、初《はじ》め大《おお》きく砕《くだ》けた破片《はへん》が、だんだん細《こま》かく砕《くだ》け、最後《さいご》には赤熱《せきねつ》して消《き》えている。これを見《み》る限《かぎ》り、波動砲《はどうほう》は浮遊大陸《ふゆうたいりく》を打《う》ち砕《くだ》き、破片《はへん》を飛《と》び散《ち》らせただけではない。砕《くだ》かれた浮遊大陸《ふゆうたいりく》を溶融《ようゆう》し、蒸発《じょうはつ》させた模様《もよう》なのだ！

岩石《がんせき》を蒸発《じょうはつ》させるには、破壊《はかい》するよりはるかに大《おお》きなエネルギーが必要《ひつよう》だ。すると、波動砲《はどうほう》の威力《いりょく》は、これまで考《かんが》えてきたレベルでは済《す》まないことになる。

月《つき》の破壊《はかい》と浮遊大陸《ふゆうたいりく》の蒸発《じょうはつ》、それぞれに必要《ひつよう》なエネルギーを算出《さんしゅつ》し、科学《かがく》で使《つか》うエネルギーの単位《たんい》「ジュール」で表《あらわ》してみると、次《つぎ》のようになる。

かめはめ波《は》　12000000000000000000000000ジュール
波動砲《はどうほう》　30000000000000000000000000ジュール

前者《ぜんしゃ》が全世界《ぜんせかい》で消費《しょうひ》されるエネルギーの2億《おく》6千万年分《せんまんねんぶん》、後者《こうしゃ》が6億《おく》6千万年分《せんまんねんぶん》。なんと、波動砲《はどうほう》の威力《いりょく》がかめはめ波《は》を2・5倍《ばい》も上回《うわまわ》るという計算《けいさん》に！

◆意外《いがい》なところで勝敗《しょうはい》が！

と、ここまで威力《いりょく》を比《くら》べてきたが、数字《すうじ》が突飛《とっぴ》すぎて、なんだかワケがわからなくなってきた。1隻《せき》の宇宙戦艦《うちゅうせんかん》や1人《ひとり》の人間《にんげん》が放《はな》つエネルギーとしてはあまりに大《おお》きすぎるのだ。ヤマトや亀仙《かめせん》人《にん》は、この決《き》めワザを使《つか》いこなせるのだろうか。

　銃《じゅう》を撃《う》てば反動《はんどう》があるように、何《なに》かを発射《はっしゃ》すると、反作用《はんさよう》が返《かえ》ってくる。最初《さいしょ》にも述《の》べたが、かめはめ波《は》や波動砲《はどうほう》が何《なに》の「波《なみ》」かはわからない。だが、ナニモノかを発射《はっしゃ》したときに、反作用《はんさよう》がもっとも小《ちい》さくて済《す》むのは、光《ひかり》を放《はな》つ場合《ばあい》だ。ここでは反作用《はんさよう》の最小値《さいしょうち》を求《もと》める意味《いみ》で、波動《はどう》砲《ほう》とかめはめ波《は》を光《ひかり》に置《お》き換《か》えて考《かんが》えよう。

　亀仙人《かめせんにん》は、かめはめ波《は》最大出力《マックスパワー》を出《だ》す直前《ちょくぜん》、突如《とつじょ》として筋肉《きんにく》モリモリになっていた。このとき彼《かれ》の体重《たいじゅう》が100kgだったとすれば、この体《からだ》で全世界《ぜんせかい》2億《おく》6千万年分《せんまんねんぶん》のエネルギーを放《はな》つと、その反作用《はんさよう》で自分《じぶん》は光速《こうそく》の99・99999999999997%で後《うし》ろへぶっ飛《と》ぶ！　対《たい》するヤマトの重量《じゅうりょう》は、6万《まん》2千《せん》t。この宇宙戦艦《うちゅうせんかん》が全世界《ぜんせかい》6億《おく》6千万年分《せんまんねんぶん》のエネルギーを放《はな》ったとき、反作用《はんさよう》で飛《と》ばされる速度《そくど》は、光速《こうそく》の99・99999998%。当然《とうぜん》だが、重量《じゅうりょう》の軽《かる》い亀仙人《かめせんにん》のほうが激《はげ》しい勢《いきお》いでぶっ飛《と》ばされるのだ。

　そして、彼《かれ》らが元《もと》の場所《ばしょ》に戻《もど》ってくる方法《ほうほう》はただ一《ひと》つ。一刻《いっこく》も早《はや》く反対側《はんたいがわ》に向《む》かって同《おな》じエネルギーを放《はな》つしかない！

　亀仙人《かめせんにん》が、かめはめ波《は》を撃《う》ったらすぐさま反対向《はんたいむ》きにかめはめ波《は》を撃《う》ってまず停止《ていし》し、もう1発同《ぱつおな》じ方向《ほうこう》に撃《う》って元《もと》の場所《ばしょ》に戻《もど》り、さらに反対向《はんたいむ》き＝初《はじ》めに撃《う》ったのと同《おな》じ方向《ほうこう》へ1発《ぱつ》撃《う》って

停止《ていし》する。つまり、1発《ぱつ》のかめはめ波《は》を撃《う》ったら、余計《よけい》にあと3発撃《ぱつう》たねばならない。あまりにも大《おお》きなエネルギーをぶっ放《ぱな》すと、後《あと》の対応《たいおう》が大変《たいへん》なのだ。

　ところが、ヤマトの波動砲《はどうほう》は連射《れんしゃ》ができないという設定《せってい》である。最初《さいしょ》の1発《ぱつ》を撃《う》ったら、かなりの時間《じかん》、後《うし》ろ向《む》きに飛《と》びっ放《ぱな》しになってしまう。

　う〜む。撃《う》った後《あと》のことまで考《かんが》えれば、かめはめ波《は》のほうが優《すぐ》れた決《き》めワザといえるかもしれませんなあ。ちょっと意外《いがい》な理由《りゆう》ですが。

とっても気《き》になるゲームの疑問《ぎもん》

『イナズマイレブン』の必殺技《ひっさつわざ》「ゴールずらし」は実現可能《じつげんかのう》でしょうか？

空中《くうちゅう》に巨大《きょだい》な手《て》が現《あらわ》れたり、足《あし》から炎《ほのお》が上《あ》がったり、グラウンドからペンギンが出《で》てきたり！　知《し》らない人《ひと》にはまるで意味不明《いみふめい》だろうけど、どれも『イナズマイレブン』の世界《せかい》で、中学《ちゅうがく》サッカーの試合中《しあいちゅう》に起《お》こっている現象《げんしょう》だ。作品《さくひん》につけられた「超次元《ちょうじげん》サッカー」という異名《いみょう》は、ダテではない！

気《き》になる必殺技《ひっさつわざ》はたくさんあるが、ひときわ異彩《いさい》を放《はな》っているのが「ゴールずらし」である。敵《てき》がシュートを打《う》つと、キーパーがゴールに横《よこ》から全力《ぜんりょく》で体当《たいあ》たりして、ゴールを動《うご》かす。ゴールがなくなったため、ボールはむなしく飛《と》んでいき、シュートは失敗《しっぱい》……。

こ、これはズルくないか!?

通常《つうじょう》のサッカーなら、レッドカード間違《まちが》いナシだろう。しかし、体当《たいあ》たりしてゴールをずらすなど、そう簡単《かんたん》にできることではない。本稿《ほんこう》ではこのすごい力技《ちからわざ》に敬意《けいい》を表《ひょう》して、どうすればこれが実現《じつげん》できるか、科学的《かがくてき》に考《かんが》えてみるぞ。

◆ゴールキーパーは適役《てきやく》か?

サッカーにおいてゴールをずらすなど、あってはならないことだ。競技規則《きょうぎきそく》の第1条《だいじょう》に「ゴールはグラウンドに確実《かくじつ》に固定《こてい》しなければならない」とあるし、転倒《てんとう》事故《じこ》などを防《ふせ》ぐために、後部《こうぶ》フレームの上《うえ》におもりを載《の》せたり、地中深《ちちゅうふか》く杭《くい》を打《う》ち込《こ》むなどの防止策《ぼうしさく》が施《ほどこ》されている。

そこまでガッチリ固定《こてい》されていたら、人《ひと》がぶつかったぐらいでは、とてもゴールは動《うご》かないだろう。すると、ゴールずらしが平然《へいぜん》と行《おこな》われる劇中《げきちゅう》の人々《ひとびと》は安全《あんぜん》に配慮《はいりょ》しているんでしょうな!という問題《もんだい》をキビシク追及《ついきゅう》したくなるが、いま考《かんが》えるべきはそこではない。ゴールずらしは、どこまで実行可能《じっこうかのう》な技《わざ》なのか、だ。

『イナズマイレブン』は、ゲームとして誕生《たんじょう》し、アニメにもなった作品《さくひん》なので、この技《わざ》も両方《りょうほう》に登場《とうじょう》する。だが、それぞれのゴールずらしは、少《すこ》し違《ちが》っている。

まずはアニメ版《ばん》を考《かんが》えてみよう。こちらのほうが現実的《げんじつてき》だからだ。
アニメの劇中《げきちゅう》、これを得意《とくい》とするのは、秋葉名戸中学《しゅうようめいとちゅうがく》のゴールキーパー・相戸留捜《あいどるそう》だ。身長《しんちょう》はそれほど高《たか》くなく、小太《こぶと》りで、体重《たいじゅう》は70㎏くらいありそうに見《み》える。

一方《いっぽう》、サッカーゴールの重《おも》さは１７０㎏ほど。つまり相戸留《あいどる》は、自分《じぶん》の体重《たいじゅう》の２・４倍《ばい》も重《おも》いものを体当《たいあ》たりで動《うご》かしていることになる。さっき「現実的《げんじつてき》」と書《か》いたばかりだけど、それはゲーム版《ばん》と比《くら》べれば、の話《はなし》。とても現実的《げんじつてき》とは思《おも》えませんなあ。

この重《おも》いゴールに相戸留《あいどる》は至近距離《しきんきょり》から体《からだ》をぶつけて、ゴールの横幅《よこはば》ぐらいの距離《きょり》を真横《まよこ》に移動《いどう》させた。この現象《げんしょう》を科学的《かがくてき》に表現《ひょうげん》すると、「人間《にんげん》がぶつかることによって滑《すべ》り始《はじ》めたゴールが、地面《じめん》との摩擦力《まさつりょく》でブレーキを受《う》け、横幅《よこはば》の分《ぶん》だけ動《うご》いたところで静止《せいし》した」となる。サッカーゴールの横幅《よこはば》は７ｍ32㎝。計算《けいさん》すると、ゴールは時速《じそく》22㎞で滑《すべ》り始《はじ》めたことになる。

時速《じそく》22㎞とは人間《にんげん》が走《はし》るくらいの速度《そくど》であり、サッカーのゴールがこんなスピードで動《うご》いたとは驚《おどろ》きだ。当然《とうぜん》、相戸留《あいどる》がぶつかったスピードも、相当《そうとう》だったはず。

アニメでは、相戸留《あいどる》はぶつかった勢《いきお》いと同《おな》じくらいの勢《いきお》いで、真後《まうし》ろに弾《はじ》き飛《と》ばされていた。人間《にんげん》が自分《じぶん》から鉄《てつ》の柱《はしら》にぶつかっても、そこまで跳《は》ね返《かえ》されることはなく、こんな現象《げんしょう》が起《お》こるのは、たとえばスーパーボールを壁《かべ》にぶつけたときくらいだろう。コイツ、どんな体《からだ》なの!?　と驚《おどろ》きながらも計算《けいさん》すると、相戸留《あいどる》の跳《は》ね返《かえ》り具合《ぐあ》いがスーパーボールと同《おな》じだった場合《ばあい》、相戸留《あいどる》の激突速度《げきとつそくど》は時速《じそく》40㎞。これは速《はや》い!

この速度《そくど》で走《はし》った場合《ばあい》の１００ｍ走《そう》のタイムは、９秒《びょう》０８だ。ウサイン・ボルトが持《も》つ世界記録《せかいきろく》は９秒《びょう》５８だから、それを上回《うわまわ》る。こんな俊足《しゅんそく》の選手《せんしゅ》をゴールキーパーに据《す》えるとは、秋葉名戸中学《しゅうようめいとちゅうがく》も変《か》わった人員配置《じんいんはいち》をしますなあ。

しかし、筆者《ひっしゃ》は心配《しんぱい》である。ゴールが動《うご》く速度《そくど》は、前述《ぜんじゅつ》のように時速《じそく》22㎞という計算《けいさん》になった。これに対《たい》して、サッカーのシュートは時速《じそく》１００㎞を超《こ》える。相戸留《あいどる》のゴールずらしは、シュートを防《ふせ》ぐことができるのか?

Ｊ《ジェイ》リーガーのシュートは、時速《じそく》１３０㎞ぐらいだという。「超次元《ちょうじげん》サッカー」を謳《うた》う『イナイレ』だから、その世界《せかい》では、中学生《ちゅうがくせい》でも同《おな》じぐらいのシュートが打《う》てると考《かんが》えよう。時速《じそく》１３０㎞のシュートは、ペナルティ・マークから11ｍ離《はな》れたゴールの真《ま》ん中目《なかめ》がけて放《はな》たれたとき、０・３秒《びょう》でネットに突《つ》き刺《さ》さる。

相戸留《あいどる》がこれを防《ふせ》ぐには、０・３秒《びょう》以内《いない》にゴールを横幅《よこはば》の半分以上《はんぶんいじょう》動《うご》かさねばならない。これにかかる時間《じかん》を計算《けいさん》してみると、ああっ、０・３６秒《びょう》!　間《ま》に合《あ》わない!

なんとまあ、超人的《ちょうじんてき》な脚力《きゃくりょく》を駆使《くし》した技《わざ》なのに、あまりに残念《ざんねん》……。

◆さらにすごいゲーム版《ばん》！

では、ゲーム版《ばん》のゴールずらしは、シュートを防《ふせ》げるのか？

こちらはアニメ版《ばん》よりもハデで、ゴールをコートの外《そと》までぶっ飛《と》ばす！ここまでやれば、さすがに期待《きたい》できそうだが。

まず、ゴールをコートの外《そと》に出《だ》すには、どれほど飛《と》ばせばいいのか。ゴールはコートの中央《ちゅうおう》にあるが、コートの横幅《よこはば》の半分《はんぶん》では足《た》りない。それだけでは、ゴールの半分《はんぶん》がコートのなかに残《のこ》ってしまうからだ。完全《かんぜん》に外《そと》に出《だ》すには「コートの横幅《よこはば》の半分《はんぶん》＋ゴールの横幅《よこはば》の半分《はんぶん》」を飛《と》ばす必《ひつ》要《よう》がある。

雷門《らいもん》vs秋葉名戸《しゅうようめいと》の試合《しあい》が、国際試合《こくさいじあい》と同《おな》じコートで行《おこな》われたとすると、コートの横幅《よこはば》は68ｍ。サッカーゴールの横幅《よこはば》は7ｍ32㎝だから、170kgの物体《ぶったい》を37ｍ66㎝も飛《と》ばすことになる。

こんな偉業《いぎょう》をやってのける相戸留《あいどる》は、どんなスピードでゴールにぶつかっているのだろう。ゲームの画面《がめん》で確認《かくにん》すると、ゴールは地面《じめん》に対《たい》して20度《ど》ぐらいの角度《かくど》で飛《と》び出《だ》している。この角度《かくど》で物体《ぶったい》を37ｍ66㎝飛《と》ばすには、時速《じそく》86㎞という猛《もう》スピードで打《う》ち出《だ》す必要《ひつよう》がある。

相戸留《あいどる》がぶつかった速度《そくど》は、さらに速《はや》かったはずだ。ゲームでは、ゴールにぶつかった相戸《あいど》留《る》は、その場《ば》に着地《ちゃくち》している。これは体《からだ》に弾力性《だんりょくせい》がほとんどないということだから、自分《じぶん》がぶつかる勢《いきお》いだけで飛《と》ばすことになる。

その場合《ばあい》、相戸留《あいどる》に要求《ようきゅう》される速度《そくど》は時速《じそく》２１０km！　アニメ版《ばん》の５倍強《ばいきょう》だ。もはや開《あ》いた口《くち》がふさがらない速《はや》さだが、彼《かれ》がここまで速《はや》く走《はし》れるとなると、筆者《ひっしゃ》は不思議《ふしぎ》でたまらない。こんな超俊足《ちょうしゅんそく》のキーパーが、ゴールを動《うご》かす必要《ひつよう》があるのかいな？

前述《ぜんじゅつ》のアニメ版《ばん》と同《おな》じ条件《じょうけん》で考《かんが》えよう。ペナルティ・マークから、ゴールの真《ま》ん中《なか》へ打《う》たれた時速《じそく》130kmのシュートは、0・3秒後《びょうご》にネットを揺《ゆ》らす。ここまでは、アニメ版《ばん》と同《おな》じだ。違《ちが》うのは、ゴールが地面《じめん》から20度《ど》の角度《かくど》で、時速《じそく》86kmで飛《と》ぶこと。これが横幅《よこはば》の半分《はんぶん》を動《うご》く時間《じかん》は、0・16秒《びょう》だ。おおっ、確《たし》かにこれなら、ゴールを防《ふせ》げる。

だが、ゴールにぶつかる直前《ちょくぜん》、相戸留《あいどる》は時速《じそく》210kmで走《はし》ってきており、すでにゴールの端《はし》に達《たっ》しているはずだ。だったら、ぶつからずにそのまま走《はし》れば、ボールが飛《と》んでくる地点《ちてん》まで0・063秒《びょう》。普通《ふつう》にボールを取《と》りにいったほうが早《はや》いじゃん！

うむ、ゴールずらしができるキーパーは、ゴールずらしをしないほうが有利《ゆうり》ということか。超次元《ちょうじげん》サッカーは奥《おく》が深《ふか》い。

とっても気《き》になる神《かみ》さまの疑問《ぎもん》

七福神《しちふくじん》は宝船《たからぶね》に乗《の》っていますが、乗《の》り方《かた》が変《へん》ではないですか？

わーお、謹賀新年《きんがしんねん》！　正月《しょうがつ》でもないのにそう言《い》いたくなるのは、題材《だいざい》が宝船《たからぶね》だから。

宝船《たからぶね》とは、米俵《こめだわら》や金銀財宝《きんぎんざいほう》といっしょに「七福神《しちふくじん》」という7人《にん》の神《かみ》さまが乗《の》った帆掛《ほか》け舟《ぶね》のことだ。これを描《えが》いた絵《え》は、誰《だれ》もが一度《いちど》は見《み》たことがあるのではないだろうか。

昔《むかし》から「大晦日《おおみそか》に、七福神《しちふくじん》が乗《の》った宝船《たからぶね》の絵《え》を枕《まくら》の下《した》に敷《し》いて寝《ね》れば、神《かみ》さまたちが宝物《たからもの》を運《はこ》んでくる夢《ゆめ》を見《み》て、幸《しあわ》せな一年《いちねん》になる」といわれている。とても縁起《えんぎ》のよいものなのだ。

その絵《え》だが、右《みぎ》のイラストのように、宝船《たからぶね》を正面《しょうめん》から描《えが》いたものがいちばんポピュラーだ。この構図《こうず》では、七福神《しちふくじん》は押《お》し合《あ》いへしあいしながらも、全員《ぜんいん》がこちらに顔《かお》を向《む》けている。実《じっ》に窮屈《きゅうくつ》そうであり、両端《りょうはじ》の2人《ふたり》など今《いま》にも船《ふね》から落《お》ちそうになっていたりする。

これは、妙《みょう》な乗《の》り方《かた》ではないだろうか。

船《ふね》というものは通常《つうじょう》、前後《ぜんご》に長《なが》く、左右《さゆう》には狭《せま》い。それなのになぜ、狭《せま》い左右《さゆう》に広《ひろ》がるのか、七福神《しちふくじん》の皆《みな》さん!? そんな変《へん》な乗《の》り方《かた》をすると、いったいどうなってしまうのか? 本稿《ほんこう》では、このめでたい絵《え》について、科学的《かがくてき》にキビシク考《かんが》えたい。

◆七福神《しちふくじん》とは何者《なにもの》だろう?

宝船《たからぶね》に乗《の》っている七福神《しちふくじん》とは、そもそもどういう神《かみ》さまなのか?

メンバーは、恵比寿《えびす》、大黒天《だいこくてん》、毘沙門天《びしゃもんてん》、布袋《ほてい》、福禄寿《ふくろくじゅ》、寿老人《じゅろうじん》、弁財天《べんざいてん》の7人《にん》。昔《むかし》から日本《にほん》ではおなじみの神《かみ》さまばかりなので、この機会《きかい》に覚《おぼ》えておきましょー。

鯛《たい》を抱《だ》いているのが、恵比寿《えびす》。このヒトは、都会《とかい》では「商《あきな》いの神《かみ》さま」、農村《のうそん》では「田《た》んぼの神《かみ》さま」、漁村《ぎょそん》では「豊漁《ほうりょう》の神《かみ》さま」とされている。様々《さまざま》な人《ひと》の願《ねが》いをかなえてくれる、まことに行《い》き届《とど》いた神《かみ》さまなのだ。

大黒天《だいこくてん》は、もともとインドの神《かみ》さまである。打《う》ち出《で》の小槌《こづち》と袋《ふくろ》を持《も》ち、下膨《しもぶく》れの顔《かお》で笑《わら》っている。外見《がいけん》は穏《おだ》やかだが、本来《ほんらい》は戦闘《せんとう》の神《かみ》さまだという。神《かみ》は見《み》かけによりませんなあ。

毘沙門天《びしゃもんてん》もインドの神《かみ》さま。ヒゲだらけのいかつい顔《かお》で、北《きた》の方角《ほうがく》と財宝富貴《ざいほうふうき》と仏法《ぶっぽう》を守《まも》るため、左右《さゆう》の足《あし》で鬼《おに》を1匹《ぴき》ずつ踏《ふ》みしめているという。ぎょぎょ。宝船《たからぶね》に乗《の》っているときもこれをやっているとすれば、福々《ふくぶく》しく笑《わら》う神《かみ》さまたちの足元《あしもと》で、2匹《ひき》の鬼《おに》が苦《くる》しんでいることに……。

お腹《なか》の大《おお》きな布袋《ほてい》は、なんと実在《じつざい》の人物《じんぶつ》。917年《ねん》に亡《な》くなった中国《ちゅうごく》のお坊《ぼう》さんで、いつも笑《え》顔《がお》を絶《た》やさずに人々《ひとびと》に接《せっ》していたため、生《い》きていたときから「弥勒菩薩《みろくぼさつ》の化身《けしん》」と敬《うやま》われていたという。現在《げんざい》では「夫婦円満《ふうふえんまん》の神《かみ》さま」とも言《い》われている。

頭《あたま》が長《なが》い福禄寿《ふくろくじゅ》は、中国《ちゅうごく》で古《ふる》くから信《しん》じられている道教《どうきょう》で重要視《じゅうようし》される「幸福《こうふく》」と「富貴《ふうき》」と「長寿《ちょうじゅ》」の3つが人間《にんげん》の姿《すがた》になった神《かみ》さま。実在《じつざい》した布袋《ほてい》とは対照的《たいしょうてき》に、抽象概念《ちゅうしょうがいねん》が神《かみ》さまになっているわけですな。

頭巾《ずきん》をかぶった寿老人《じゅろうじん》は、長寿《ちょうじゅ》の神《かみ》さま。広辞苑《こうじえん》によれば、この人《ひと》も実在《じつざい》の人物《じんぶつ》。11世紀末《せいきまつ》の中国人《ちゅうごくじん》で、いつもシカを連《つ》れていたらしい。ということは、ただでさえギュウギュウ詰《づ》めの宝船《たからぶね》にも、シカを乗《の》せているのかなあ?

紅一点《こういってん》の弁財天《べんざいてん》もインド出身《しゅっしん》。音楽《おんがく》、言語《げんご》、才知《さいち》の神様《かみさま》。才媛《さいえん》なんだなあ。

――というわけで、七福神《しちふくじん》を分類《ぶんるい》するならば、インド出身《しゅっしん》3、中国出身《ちゅうごくしゅっしん》2、抽象概念《ちゅうしょうがいねん》1。生粋《きっすい》の日本《にほん》の神《かみ》さまは、恵比寿《えびす》1人《ひとり》だけ。なんとまあ、国際色豊《こくさいしょくゆた》かな集団《しゅうだん》だったのである。

◆どっちにしても転覆《てんぷく》する

さて、この7人《にん》さまご一行《いっこう》が船《ふね》に乗《の》っているのだが、甲板《かんぱん》の横《よこ》いっぱいに広《ひろ》がるのはいかがなものか。前後《ぜんご》は広々《ひろびろ》と空《あ》いているだろうに……。

その謎《なぞ》を解《と》くためにネットを引《ひ》いたところ、ややっ。宝船《たからぶね》の絵《え》にはもう一《ひと》つ、船《ふね》が横向《よこむ》きに描《えが》かれたバージョンもあるではないか。この場合《ばあい》の七福神《しちふくじん》は、船《ふね》の前後《ぜんご》に広《ひろ》がって乗《の》っており、まことに合理的《ごうりてき》だ。

いや待《ま》て。何《なに》が合理的《ごうりてき》なものか。どの方向《ほうこう》から描《えが》かれた絵《え》でも、7人《にん》は帆《ほ》の前《まえ》に並《なら》んでいる。帆柱《ほばしら》というものは、船《ふね》の真《ま》ん中《なか》に立《た》っているから、横向《よこむ》きの宝船《たからぶね》の絵《え》では、七福神全員《しちふくじんぜんいん》が船《ふね》の左《さ》右《ゆう》どちらかの側《がわ》に集中《しゅうちゅう》しているわけだ。

もちろん偏《かたよ》りがあるのは、正面向《しょうめんむ》きの絵《え》でも同《おな》じ。7人全員《にんぜんいん》が船《ふね》の前半《ぜんはん》に集中《しゅうちゅう》して乗《の》っているのである。前向《まえむ》き、横向《よこむ》き、どっちにしても船《ふね》が転覆《てんぷく》する危険《きけん》があるということだ！　お正月《しょうがつ》から、縁起《えんぎ》でもない！

また、船《ふね》が横向《よこむ》きバージョンの絵《え》をよく見《み》ると、船《ふね》は横向《よこむ》きなのに、帆《ほ》は決《き》まって正面《しょうめん》から描《えが》かれている。これは、帆《ほ》が船《ふね》に対《たい》して横《よこ》を向《む》いているということだ。帆掛《ほか》け舟《ぶね》は、横《よこ》からの風《かぜ》も、斜《なな》め前方《ぜんぽう》からの風《かぜ》も、前進《ぜんしん》するのに利用《りよう》できるが、それらが生《う》み出《だ》す前進力《ぜんしんりょく》は、真後《まうし》ろからの風《かぜ》

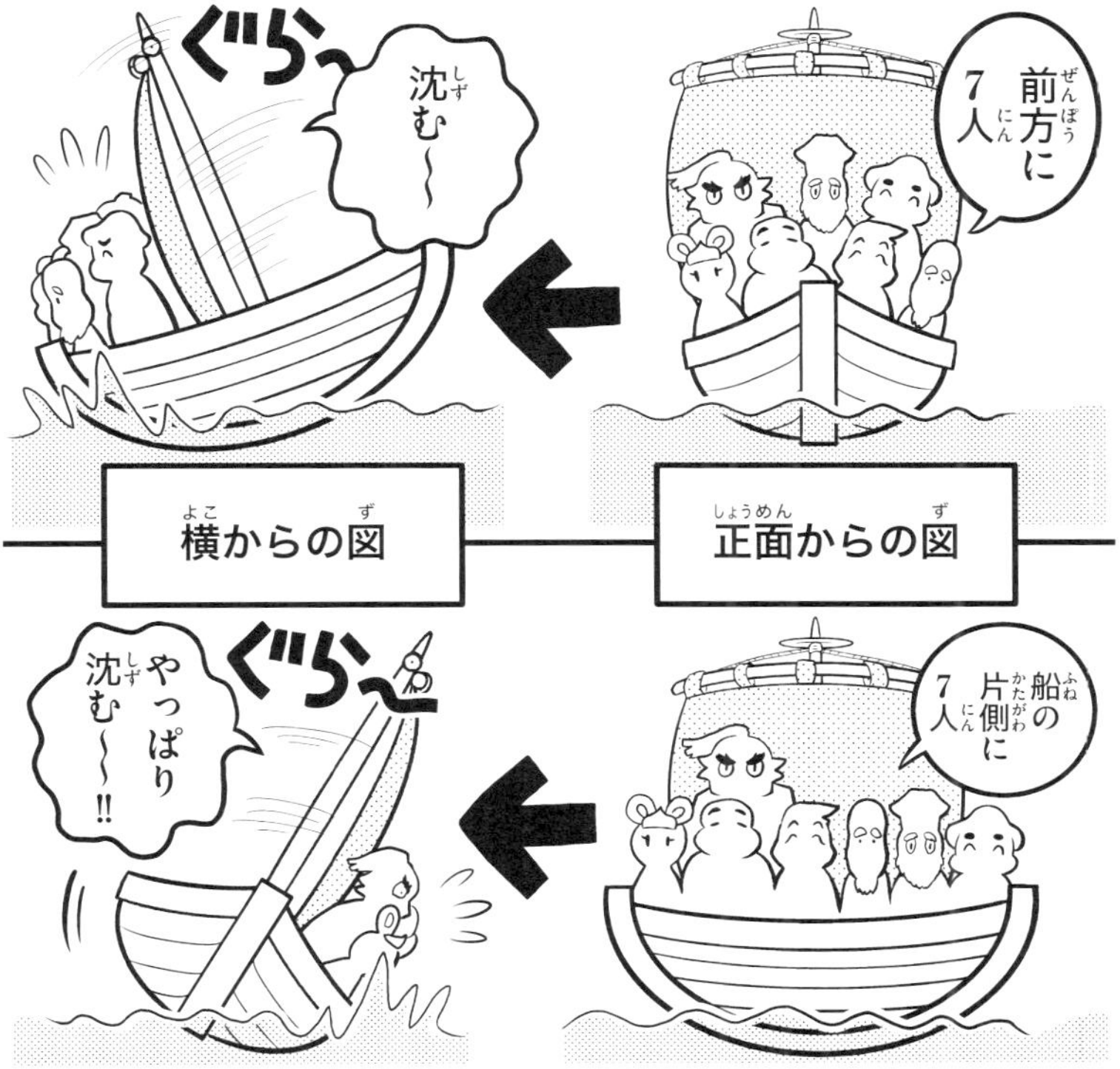

に及《およ》ばない。つまりこの船《ふね》は「順風満帆《じゅんぷうまんぱん》」とか「追風《おいて》に帆《ほ》かけてシュラシュシュシュ」などと喜《よろこ》ばれる状態《じょうたい》とは程遠《ほどとお》いということだ。なんだかこの縁起物《えんぎもの》、やたら縁起《えんぎ》がよろしくないな〜。

◆神《かみ》さまの命綱《いのちづな》は金銀財宝《きんぎんざいほう》!?

縁起《えんぎ》の問題《もんだい》はさておき、現状《げんじょう》の乗《の》り方《かた》では転覆《てんぷく》の危機《きき》。だが、ボクらの七福神《しちふくじん》がそんな間《ま》の抜《ぬ》けたことをするだろうか?

冷静《れいせい》に考《かんが》えてみると、悲劇《ひげき》は避《さ》けられそうである。なぜなら、船《ふね》に乗《の》っているのは七福神《しちふくじん》。この神《かみ》さまたちは人々《ひとびと》の願《ねが》いを聞《き》き届《とど》け、豊《ゆた》かな実《みの》りや富《とみ》を授《さず》けるために、この船《ふね》で人間《にんげん》の世界《せかい》へ向《む》かっている最中《さいちゅう》なのだろう。

するとと、船《ふね》には米俵《こめだわら》や金銀財宝《きんぎんざいほう》がどっちゃり積《つ》んであったはず。どちらの絵《え》でも、帆《ほ》の反対側《はんたいがわ》にこれらを載《の》せてバランスを取《と》っていたのではないか？

だとすれば、とんでもない量《りょう》の宝物《たからもの》が積載《せきさい》されていたと思《おも》われる。7人《にん》の平均体重《へいきんたいじゅう》を60kgとすると合計《ごうけい》420kg。これでバランスが取《と》れているとしたら米俵《こめだわら》と金銀財宝《きんぎんざいほう》も420kgだったに違《ちが》いない。その半分《はんぶん》が米俵《こめだわら》で、残《のこ》りの10分《ぶん》の1＝21kgを金《きん》が占《し》めていたと仮定《かてい》しよう。現在《げんざい》、金《きん》は1gあたり5千円前後《せんえんぜんご》。すると金《きん》だけで1億《おく》2000万円《まんえん》！　おお、これがホントの宝船《たからぶね》！

心配《しんぱい》なのは、人々《ひとびと》に宝《たから》をあげた帰《かえ》り道《みち》だ。荷物《にもつ》を降《お》ろし、七福神《しちふくじん》だけになっても来《く》るときと同《おな》じ乗《の》り方《かた》をしていたら、宝船《たからぶね》はやっぱり転覆《てんぷく》してしまう可能性《かのうせい》が大《だい》！

帰《かえ》りはぜひとも3人《にん》ないし4人《にん》が帆《ほ》の向《む》こう側《がわ》に乗《の》り、外観上《がいかんじょう》は四福神《しふくじん》もしくは三福神《さんふくじん》となって、安全《あんぜん》にお帰《かえ》りくださいい〜。

とっても気《き》になるマンガの疑問《ぎもん》

『ど根性《こんじょう》ガエル』のピョン吉《きち》。カエルがシャツに貼《は》りついたら、あの姿《すがた》になりますか?

カエルが空《あ》き地《ち》で「ゲロゲロゲッゲッ」と鳴《な》いていた。そこへ走《はし》ってきた中学生《ちゅうがくせい》のひろしが、石《いし》につまずいた。カエルに気《き》づいたひろしは「どけどけっ」と叫《さけ》ぶ。カエルも驚《おどろ》いて飛《と》び上《あ》がる。だが間《ま》に合《あ》わず、ひろしはカエルの上《うえ》に倒《たお》れてしまう。体《からだ》の重《おも》みで圧殺《あっさつ》してしまった……と思《おも》いきや、どっこいカエルはシャツに貼《は》りついたまま、平《へい》面《めん》ガエルとなって生《い》きていた!

１９７０年《ねん》に「週刊少年《しゅうかんしょうねん》ジャンプ」に掲載《けいさい》された『ど根性《こんじょう》ガエル』の冒頭《ぼうとう》シーンである。ここから始《はじ》まったこの作品《さくひん》は、テレビアニメ化《か》され、ピョン吉《きち》Ｔシャツが根強《ねづよ》く売《う》れ、胃腸薬《いちょうやく》のＣＭ《シーエム》

に起用《きよう》され、2015年《ねん》にはついに実写《じっしゃ》ドラマにもなった。発表《はっぴょう》から半世紀《はんせいき》にもなるのに、ピョン吉並《きちなみ》の生命力《せいめいりょく》ですなあ。

本稿《ほんこう》では、あまりにも有名《ゆうめい》な平面《へいめん》ガエル・ピョン吉《きち》の謎《なぞ》について考《かんが》えたい。

◆なぜ生《い》きてるのだろう？

ピョン吉《きち》についての最大《さいだい》の謎《なぞ》は、なぜ平面《へいめん》ガエルになっても生《い》きていられるのか、ということだろう。これは筆者《ひっしゃ》も、とっても疑問《ぎもん》に思《おも》う。

生物《せいぶつ》は、ぺちゃんこに潰《つぶ》されると、普通《ふつう》は死《し》ぬ。圧迫《あっぱく》されることで細胞膜《さいぼうまく》が破《やぶ》れ、細胞《さいぼう》の中身《なかみ》が流《なが》れ出《だ》してしまうからだ。仮《かり》に、ピョン吉《きち》の細胞《さいぼう》がモノスゴク伸《の》び縮《ちぢ》みし、破《やぶ》れなかったとしても、食道《しょくどう》も胃《い》も腸《ちょう》も平《たい》らになったら、何《なに》かを食《た》べることもできない。必要《ひつよう》な栄養《えいよう》が摂《と》れずに、やがて死《し》んでしまうだろう。

それでもど根性《こんじょう》で考《かんが》えるなら（あっ。「ど根性《こんじょう》ガエル」と「ど根性《こんじょう》で考《かんが》える」は似《に》ている！）、たとえばこういう推論《すいろん》はどうだろう。

カエルは両生類《りょうせいるい》で、その仲間《なかま》にイモリがいる。イモリの再生能力《さいせいのうりょく》は素晴《すば》らしく、足《あし》を切《き》られても また生《は》えてくる。このとき傷口《きずぐち》は、骨《ほね》や筋肉《きんにく》や皮膚《ひふ》に分《わ》かれる前《まえ》の細胞《さいぼう》の塊《かたまり》になる。これを

「脱分化《だつぶんか》」といい、そこから新《あたら》しい骨《ほね》や筋肉《きんにく》が作《つく》られるのだ。

ピョン吉《きち》も、イモリと同《おな》じ両生類《りょうせいるい》。潰《つぶ》された全身《ぜんしん》の細胞《さいぼう》が脱分化《だつぶんか》して、まったく新《あたら》しい生命体《せいめいたい》として生《う》まれ変《か》わった……とか。

すみません。あり得《え》ないなーと思《おも》いながら書《か》いています。両生類《りょうせいるい》のなかでも、強《つよ》い再生能力《さいせいのうりょく》を持《も》つのは、イモリなど成体《せいたい》になっても尻尾《しっぽ》のあるものだけで、カエルにそこまでの再生能力《さいせいのうりょく》はない。また、イモリの足《あし》も再生《さいせい》には数《すう》ヵ月《げつ》かかるからだ。いくらなんでも、ひろしの母《かあ》ちゃんが、潰《つぶ》れたカエルの細胞《さいぼう》を、そんなに長《なが》く息子《むすこ》のシャツに付着《ふちゃく》させたままにはしないだろう。

しかもこのカエル、潰《つぶ》される前《まえ》は「ゲロゲロッ」と普通《ふつう》に鳴《な》いていたのに、いまや日本語《にほんご》を流暢《りゅうちょう》に話《はな》す！　子《こ》どもが川《かわ》で溺《おぼ》れていると、シャツを着《き》たひろしごと飛《と》び込《こ》み、命《いのち》を救《すく》う！　平面《へいめん》ガエルになっただけではなく、知力《ちりょく》と体力《たいりょく》を増強《ぞうきょう》させてよみがえっているのだ。

う〜ん、こうなるともう科学《かがく》の力《ちから》では解決《かいけつ》できないなあ。

だが、作品《さくひん》のタイトルと主題歌《しゅだいか》は明確《めいかく》に答《こた》えているではないか。根性《こんじょう》、根性《こんじょう》、ど根性《こんじょう》！　ピョン吉《きち》は、根性《こんじょう》があったから圧死《あっし》しなかったし、根性《こんじょう》があったから、人間社会《にんげんしゃかい》でも逞《たくま》しく生《い》きていくことができた——ということなのだ、たぶん。

◆科学的《かがくてき》に正《ただ》しい潰《つぶ》され方《かた》とは？

むしろ、科学的《かがくてき》に気《き》になるのは、平面《へいめん》ガエル・ピョン吉《きち》のあのスタイルは正《ただ》しいのか、という問題《もんだい》である。

真正面《ましょうめん》を向《む》いて、カエル座《ずわ》りをしているピョン吉《きち》。おなじみのカッコウだが、どんなふうに押《お》し潰《つぶ》したら、カエルはあんな姿《すがた》でシャツに貼《は》りつくのだろうか。

カエルというものは、目《め》は背中《せなか》と同《おな》じ側《がわ》にある。そんな構造《こうぞう》のカエルが押《お》し潰《つぶ》されると、どうなるか？　可能性《かのうせい》は２つある。

①背中《せなか》から押《お》し潰《つぶ》されたとしたら、同《おな》じ側《がわ》にある目《め》も、シャツと体《からだ》の接着面《せっちゃくめん》に埋《う》もれてしまう。つまり、正面《しょうめん》から見《み》えるのは、あごから下《した》とお腹《なか》だけ……！

②お腹《なか》の側《がわ》から潰《つぶ》されたら、正面《しょうめん》から見《み》える部分《ぶぶん》のほとんどは背中《せなか》。その上《うえ》のほうに目《め》がついている姿《すがた》になるはずだ。

普通《ふつう》に潰《つぶ》されると、このどちらかになるだろう。だが、われらのピョン吉《きち》は、お腹《なか》も顔《かお》も正面《しょうめん》を向《む》いている。

どうすれば、それが実現《じつげん》できるのか。考《かんが》えられるのは、潰《つぶ》されそうになったピョン吉《きち》が、驚《おどろ》いて飛《と》び上《あ》がった瞬間《しゅんかん》に、逆立《さかだ》ち状態《じょうたい》となって、そのままお尻《しり》から顔《かお》に向《む》かって圧潰《あっかい》されたときだ

けだ。つまり体《からだ》は、縦向《たてむ》きに潰《つぶ》された……？

カエルの潰《つぶ》され方《かた》としては、きわめて珍《めずら》しい。でも、そうでなければ、おなじみのピョン吉《きち》スタイルにはならないのだ。

脊椎動物《せきついどうぶつ》が背骨《せぼね》をタテに潰《つぶ》されたら、普通《ふつう》なら絶対《ぜったい》にオダブツだろう。これで死《し》ななかったピョン吉《きち》のど根性《こんじょう》には、もう敬《けい》服《ふく》するしかない。

◆アタマだけが大《おお》きすぎる！

さらに驚《おどろ》くのは、ピョン吉《きち》の顔面《がんめん》と体《からだ》のバランスだ。体《からだ》に比《くら》べると、頭部《とうぶ》だけが極端《きょくたん》に大《おお》きくないだろうか。

マンガのコマで測《はか》ると、肩《かた》から足《あし》までの長《なが》さが8・5㎝なのに対《たい》して、頭部《とうぶ》の長《なが》さは28・5㎝もある。体《からだ》の3倍《ばい》を超《こ》える異様《いよう》なデカ頭《あたま》だ。

生物《せいぶつ》の体《からだ》はほとんど水《みず》でできているから、細胞膜《さいぼうまく》が破《やぶ》れて内容物《ないようぶつ》が流出《りゅうしゅつ》しない限《かぎ》り、押《お》し潰《つぶ》されても体積《たいせき》は変化《へんか》しないはずである。面積《めんせき》がこれほど大《おお》きく広《ひろ》がったからには、厚《あつ》みは極《きわ》めて薄《うす》くなったということだ。

百科事典《ひゃっかじてん》の挿絵《さしえ》でトノサマガエルの体《からだ》の大《おお》きさを測《はか》ると、頭部《とうぶ》(骨格図《こっかくず》と比較《ひかく》して、頭蓋骨《ずがいこつ》がある部分《ぶぶん》)の前後《ぜんご》の長《なが》さは2㎝、上下《じょうげ》の厚《あつ》みも2㎝であった。これが28・5㎝になったということは、顔面《がんめん》の上下《じょうげ》は14倍《ばい》に巨大化《きょだいか》し、面積《めんせき》は196倍《ばい》に広《ひろ》がった計算《けいさん》になる。

その分《ぶん》、厚《あつ》みは196分《ぶん》の1になったはずだ。これは0・1㎜。おお、コピー用紙《ようし》1枚《まい》の厚《あつ》さと同《おな》じであり、なるほどシャツに貼《は》りついて暮《く》らすには、このくらいの薄《うす》さになる必要《ひつよう》があるだろう。つまり、長《なが》さ28・5㎝という巨顔《きょがん》はナットクできる。

が、それは顔《かお》だけの話《はなし》。顔《かお》の大《おお》きさと厚《あつ》みが科学的《かがくてき》に正《ただ》しいとしたら、胴体《どうたい》はどうなる？　顔《かお》の3分《ぶん》の1以下《いか》の大《おお》きさ、というのは適切《てきせつ》なのだろうか？

前掲《ぜんけい》の百科事典《ひゃっかじてん》で計測《けいそく》すると、トノサマガエルの肩《かた》から足《あし》までの高《たか》さは3・5㎝、胴体《どうたい》の厚《あつ》みは5㎝である。

ピョン吉《きち》の肩《かた》から足《あし》までは8・5㎝だから、平面《へいめん》ガエルになっても2・4倍《ばい》に伸《の》びたに過《す》ぎず、すると胴体《どうたい》の厚《あつ》みは6分《ぶん》の1になる。5㎝の6分《ぶん》の1とは、8・5㎜。これ、かなりブ厚《あつ》くないか。顔《かお》は厚《あつ》さ0・1㎜のほぼ平面《へいめん》なのに、体《からだ》は厚《あつ》さ8・5㎜もの立派《りっぱ》な立体《りったい》という、ヒジョ〜に気色悪《きしょくわる》い平面立体混合《へいめんりったいこんごう》ガエルだ。

筆者《ひっしゃ》としては、胴体《どうたい》の厚《あつ》みも顔《かお》と同《おな》じように、0・1㎜になっていただきたい。その場合《ばあい》、もともとの胴体《どうたい》の厚《あつ》さは5㎝なので、圧縮率《あっしゅくりつ》は500分《ぶん》の1。すると、胴体《どうたい》の面積《めんせき》は500倍《ばい》に広《ひろ》がる。そのときの肩《かた》から足《あし》までの長《なが》さを計算《けいさん》すると、78・3㎝となる。

これに頭部《とうぶ》の長《なが》さ28・5㎝を加《くわ》えると、正《ただ》しい平面《へいめん》ガエルの身長《しんちょう》は、なんと1m7㎝！　デカイ！　いくらなんでもTシャツに収《おさ》まるサイズではない。

うーん。科学的《かがくてき》に考《かんが》えると、平面《へいめん》ガエルの見《み》た目《め》にかわいい潰《つぶ》され方《かた》も、なかなか至難《しなん》。さまざまな意味《いみ》で、ピョン吉《きち》は奇跡《きせき》のカエルなのであった。

とっても気《き》になるマンガの疑問《ぎもん》

『僕《ぼく》のヒーローアカデミア』ニトロのような汗《あせ》を出《だ》す爆豪勝己《ばくごうかつき》は、日常生活《にちじょうせいかつ》が大変《たいへん》では？

「週刊少年《しゅうかんしょうねん》ジャンプ」で連載《れんさい》している『僕《ぼく》のヒーローアカデミア』が、実《じつ》に楽《たの》しい。ヘンテコな人々《ひとびと》が次々《つぎつぎ》に出《で》てくるが、誰《だれ》もがそれぞれの能力《のうりょく》を活《い》かしたナットクの活躍《かつやく》を見《み》せるのだ。

この作品世界《さくひんせかい》では、全人口《ぜんじんこう》の8割《わり》が何《なん》らかの超能力《ちょうのうりょく》を持《も》っている。その多様《たよう》な能力《のうりょく》は「個性《こせい》」と呼《よ》ばれ、強《つよ》い個性《こせい》を持《も》つ人《ひと》たちはヒーローとして戦《たたか》う。

主人公《しゅじんこう》の緑谷出久《みどりやいずく》は、生《う》まれつき「無個性《むこせい》」だったが、ヒーロー・オールマイトから体力《たいりょく》を増強《ぞうきょう》する個性《こせい》「ワン・フォー・オール」を受《う》け継《つ》ぎ、特訓《とっくん》を積《つ》んでヒーロー養成学校《ようせいがっこう》・雄英高校《ゆうえいこうこう》に

進学《しんがく》した。

そんなで出久《いずく》の幼《おさな》なじみで、雄英高校《ゆうえいこうこう》でもクラスメートになったのが、爆豪勝己《ばくごうかつき》である。自信《じしん》家《か》の勝己《かつき》は高校《こうこう》にも成績《せいせき》トップで合格《ごうかく》したが、何《なに》かと出久《いずく》を見下《みくだ》し、力《ちから》でねじ伏《ふ》せようとする。

そんな彼《かれ》の個性《こせい》は、手《て》のひらで爆発《ばくはつ》を起《お》こすこと。その原理《げんり》は、作品中《さくひんちゅう》でこう説明《せつめい》されている。

「掌《てのひら》の汗腺《かんせん》からニトロのような汗《あせ》を出《だ》し爆発《ばくはつ》させる」

手《て》からニトロのような汗《あせ》を！　すごい個性《こせい》だが、人間《にんげん》にそんなことができたら、いったいどうなるのだろうか!?

◆ニトロとはどういうものか？

「ニトロのようなもの」とは、何《なん》なのか？　現実《げんじつ》の世界《せかい》のニトロとは、窒素《ちっそ》1個《こ》、酸素《さんそ》2個《こ》でできた原子団《げんしだん》のことだ。これを含《ふく》む物質《ぶっしつ》は名前《なまえ》に「ニトロ」がつき、まとめて「ニトロ化合物《かごうぶつ》」という。爆発《ばくはつ》する液体《えきたい》に、ニトログリセリン、ニトログリコール、ニトロメタンなどがある。

特《とく》にニトログリセリンは敏感《びんかん》で、ちょっとした衝撃《しょうげき》で爆発《ばくはつ》し、同《おな》じ重量当《じゅうりょうあ》たり黒色火薬《こくしょくかやく》の7倍《ばい》のエネルギーを出《だ》す。合成《ごうせい》に初《はじ》めて成功《せいこう》したイタリアの化学者《かがくしゃ》・ソブレロは、あまりに爆発《ばくはつ》しやすいため、爆薬《ばくやく》として使《つか》うことを諦《あきら》めた。これを珪藻土《けいそうど》にしみ込《こ》ませて安全《あんぜん》なダイナマイトにしたのが、アルフレッド・ノーベルである。

ただし、爆豪《ばくごう》が手《て》のひらから出《だ》すのは、あくまでも「ニトロのようなもの」と言《い》われているから、それは現実《げんじつ》のニトロではないのかもしれない。また彼《かれ》は、出《だ》した汗《あせ》を貯蔵《ちょぞう》したり、それを容器《ようき》に入《い》れて手榴弾《しゅりゅうだん》にすることもできるらしい。だが、そこを重視《じゅうし》すると科学的《かがくてき》に考《かんが》えることができないから、ここではニトログリセリンと仮定《かてい》して、話《はなし》を進《すす》めさせてください。すみません〜。

さて、人間《にんげん》はそんなモノを汗腺《かんせん》から出《だ》せるのか？

ニトログリセリンは、グリセリンと呼《よ》ばれるアルコールの一種《いっしゅ》を、硝酸《しょうさん》と硫酸《りゅうさん》の混合液《こんごうえき》に混《ま》ぜて作《つく》る。硝酸《しょうさん》に含《ふく》まれる窒素《ちっそ》と酸素《さんそ》が、グリセリンに結《むす》びついて、ニトログリセリンになる。

自然界《しぜんかい》の生物《せいぶつ》がニトログリセリンを作《つく》ることはないが、もし作《つく》るとしたら、汗腺《かんせん》の内部《ないぶ》で、同《おな》じ反応《はんのう》を起《お》こすしかないだろう。

グリセリンは、体内《たいない》の脂肪《しぼう》に含《ふく》まれるが、硫酸《りゅうさん》と硝酸《しょうさん》は、金属《きんぞく》を溶《と》かす物質《ぶっしつ》で、生物《せいぶつ》の組織《そしき》を破壊《はかい》する。それに耐《た》えるとは、爆豪《ばくごう》の汗腺《かんせん》もスゴイ個性《こせい》を持《も》っているということだ！

◆どれほど汗《あせ》を出《だ》した？

このニトログリセリンを使《つか》った爆豪《ばくごう》の攻撃《こうげき》は、どれほどの威力《いりょく》があるのだろうか。

爆豪《ばくごう》が、手《て》のひらから1gのニトログリセリンを出《だ》したと仮定《かてい》すると、爆風《ばくふう》で1・1m離《はな》れたガラス窓《まど》が割《わ》れる。

当然《とうぜん》、人間《にんげん》の鼓膜《こまく》も破《やぶ》れるだろう。また、半径《はんけい》2・7m以内《いない》の人《ひと》は、爆音《ばくおん》で失神《しっしん》する！　幼《おさな》い頃《ころ》から何《なん》でも自分《じぶん》が1番《ばん》でないと気《き》が済《す》まない爆豪《ばくごう》は、やたら爆発《ばくはつ》を起《お》こして周囲《しゅうい》を威嚇《いかく》していたが、どれほどの被害者《ひがいしゃ》が出《で》たことか……。

しかも、爆豪《ばくごう》が出《だ》したニトログリセリンの汗《あせ》は、こんなレベルではなかったようだ。体力測定《たいりょくそくてい》の50m走《そう》で、爆豪《ばくごう》は手《て》のひらを後方《こうほう》に向《む》けて爆発《ばくはつ》させ、その反作用《はんさよう》を利用《りよう》して、4秒《びょう》13の記録《きろく》を出《だ》していた。自分《じぶん》だけロケットエンジンを使《つか》うようなもので、ずるい気《き》もするが、雄英高校《ゆうえいこうこう》の体力《たいりょく》テストは、個性《こせい》の使用《しよう》がアリなのだ。

爆豪《ばくごう》は、中学《ちゅうがく》のとき個性《こせい》を使《つか》わずに計《はか》った50m走《そう》の記録《きろく》は5秒《びょう》58だったという。すると、爆《ばく》発《はつ》でタイムを1・45秒《びょう》も縮《ちぢ》めたことになる。彼《かれ》の体重《たいじゅう》を65kgとして計算《けいさん》すると、爆発《ばくはつ》させたニトログリセリンは160g！

さらに爆豪《ばくごう》は、屋内対人戦闘訓練《おくないたいじんせんとうくんれん》で大爆発《だいばくはつ》を起《お》こし、4階《かい》までを破壊《はかい》した。これに使用《しよう》した量《りょう》は2・2kg！　これほどのニトログリセリンを汗《あせ》のように分泌《ぶんぴつ》したとなると、あまりに汗《あせ》っかきなヒトである。

◆こいつ、ヒーローになるしかない！

気《き》になるのは、爆発《ばくはつ》する汗《あせ》をかく高《こう》1男子《だんし》が、つつがなく日常生活《にちじょうせいかつ》を送《おく》れるのかどうか、という問題《もんだい》だ。

救《すく》いは、ニトログリセリンを出《だ》すのが手《て》のひらだけということ。汗《あせ》には、体温《たいおん》を下《さ》げるために出《で》るものと、緊張《きんちょう》や恐怖《きょうふ》から出《で》るものがある。体温《たいおん》を下《さ》げるための汗《あせ》は、額《ひたい》から始《はじ》まって、背中《せなか》、胸《むね》、腕《うで》、脚《あし》と進《すす》んでいく。緊張《きんちょう》などから出《で》る汗《あせ》は、手《て》のひら、足《あし》の裏《うら》、腋《わき》の下《した》と発汗《はっかん》が進《すす》む。

つまり、全身《ぜんしん》からの汗《あせ》は、体温《たいおん》の上昇《じょうしょう》に応《おう》じて無意識《むいしき》に流《なが》れるが、手《て》のひらからの汗《あせ》は、精神《せいしん》状態《じょうたい》と関係《かんけい》がある。だからこそ、爆豪《ばくごう》は手《て》のひらからの汗《あせ》を自分《じぶん》の意思《いし》でコントロールできるのではないだろうか。

もし全身《ぜんしん》から出《で》る汗《あせ》もニトログリセリンだったら、まったくコントロールは利《き》かず、夏《なつ》など、やたらボンボン爆発《ばくはつ》を起《お》こすお騒《さわ》がせ野郎《やろう》になっていた。

だが、手《て》のひらからの汗《あせ》にも、注意《ちゅうい》が必要《ひつよう》だ。爆豪《ばくごう》は緊張《きんちょう》すると、手《て》のひらからニトログリセリンが出《で》る危険《きけん》がある。

映画《えいが》やスポーツ観戦《かんせん》で、手《て》に汗握《あせにぎ》る展開《てんかい》になるとドカン！　就職《しゅうしょく》の面接《めんせつ》でドバン！　外科医《げかい》になろうものなら、手術中《しゅじゅつちゅう》にドゴン！

……なるほど、ヒーローになるしかない体質《たいしつ》である。

プライベートでも、危険《きけん》な場《ば》面《めん》がある。筆者《ひっしゃ》が手《て》のひらから汗《あせ》をかくほど緊張《きんちょう》したのは、忘《わす》れもしない、初《はじ》めてできた彼女《かのじょ》と手《て》をつないだとき。彼女《かのじょ》の美《うつく》しい手《て》を、汗《あせ》でベタベタにしてしまった。爆豪《ばくごう》の場合《ばあい》、同《おな》じように緊張《きんちょう》したら、彼女《かのじょ》の美《うつく》しい手《て》がバラバラに……!?

でもまあ、マンガを読《よ》む限《かぎ》り、爆豪《ばくごう》は彼女《かのじょ》と手《て》をつないだぐらいで緊張《きんちょう》するキャラではないから、それだけは安心《あんしん》かな。

とっても気《き》になるマンガの疑問《ぎもん》

マンガでは、ビックリして目《め》が飛《と》び出《だ》すことがあります。実際《じっさい》に起《お》こったら、どうなりますか？

ビックリして目《め》が飛《と》び出《だ》す！　多《おお》くのマンガに、しばしば登場《とうじょう》するシーンである。『妖怪《ようかい》ウォッチ』でジバニャンたちがとんでもないことをすると、ケータの目《め》はハデに飛《と》び出《だ》すし、『ONE PIECE《ワンピース》』でルフィが天然《てんねん》な発言《はつげん》をすれば、麦《むぎ》わら海賊団《かいぞくだん》の目《め》がムリーンと飛《と》び出《だ》す。『Dr.《ドクター》スランプ』で、アラレちゃんがパンチで地球《ちきゅう》を割《わ》ったときは、スッパマンの目《め》が10㎝ぐらい飛《と》び出《だ》した。

筆者《ひっしゃ》が知《し》る限《かぎ》り、最大《さいだい》に目《め》が飛《と》び出《だ》したのは、『ストップ!!ひばりくん！』の主人公《しゅじんこう》・坂本耕《さかもとこう》作《さく》だ。彼《かれ》がドキドキする夢《ゆめ》から目覚《めざ》めると、目《め》の前《まえ》にイカツイおっさんの顔《かお》が！　このとき耕作《こうさく》の目《め》は20㎝ほども飛《と》び出《だ》した！

不思議《ふしぎ》でたまらない。あなたは、現実世界《げんじつせかい》で「ビックリして目《め》が飛《と》び出《だ》した」という現象《げんしょう》を目撃《もくげき》したことがありますか？

もちろん、これがマンガの誇張表現《こちょうひょうげん》であることは理解《りかい》している。たとえば「殴《なぐ》られた人《ひと》が尻《しり》もちをつく」のが現実《げんじつ》だとしたら、「何《なん》ｍも吹《ふ》っ飛《と》ぶ」のがマンガの表現《ひょうげん》というものだろう。だが、それとはちょっと違《ちが》うような気《き》がする。現実《げんじつ》の世界《せかい》で、いくら驚《おどろ》いたとしても、目《め》が１㎜でも飛《と》び出《だ》すことがあるだろうか？　本稿《ほんこう》では、この不思議《ふしぎ》なマンガ表現《ひょうげん》について考《かんが》えよう。

◆本当《ほんとう》に飛《と》び出《だ》している？

「目《め》が飛《と》び出《で》る」という表現《ひょうげん》は、何《なに》もマンガの専売特許《せんばいとっきょ》ではない。『広辞苑《こうじえん》』をひもとくと、「代価《だいか》がむやみに高《たか》く、ひどく驚《おどろ》く」「激《はげ》しく叱《しか》られたときの形容《けいよう》」とある。もともとわが国《くに》には「激《はげ》しい精神的衝撃《せいしんてきしょうげき》を受《う》けると、目《め》は飛《と》び出《だ》す」という共通認識《きょうつうにんしき》があったように思《おも》われる。

そうした文化《ぶんか》のなかで、マンガでは多《おお》くの人々《ひとびと》の目《め》が飛《と》び出《だ》してきたわけだ。だが、ケータたちをよく観察《かんさつ》すると、彼《かれ》らの目《め》が本当《ほんとう》に飛《と》び出《だ》しているかどうか、疑問《ぎもん》といわざるを得《え》ない。

人間《にんげん》の眼球《がんきゅう》は、直径《ちょっけい》２・４㎝ほどの球形《きゅうけい》で、前方《ぜんぽう》がまぶたに覆《おお》われている。この構造《こうぞう》から考《かんが》えれば、目《め》が直径《ちょっけい》の半分《はんぶん》の1・2cm前方《ぜんぽう》に移動《いどう》すれば、ブドウの皮《かわ》から中身《なかみ》がツルリと出《で》てくるように、眼球《がんきゅう》はまぶたからこぼれ落《お》ちて、元《もと》に戻《もど》らなくなるだろう。

ところが、マンガで目《め》が飛《と》び出《だ》した人々《ひとびと》の目《め》は、根元《ねもと》がまぶたに埋《う》まったまま、前方《ぜんぽう》にビヨ〜ンと突出《とっしゅつ》している。これで「目《め》が飛《と》び出《だ》した」といえるのか？　正《ただ》しくは「目《め》がモノスゴク膨張《ぼうちょう》した」と表現《ひょうげん》するべきではないだろうか。

さらに不思議《ふしぎ》なことに、膨張《ぼうちょう》した目《め》は、例外《れいがい》なく次《つぎ》のコマでは元《もと》に戻《もど》っている。人体《じんたい》の組織《そしき》が急激《きゅうげき》に膨張《ぼうちょう》し、瞬時《しゅんじ》に元《もと》に戻《もど》るなど、あまりに不思議《ふしぎ》な現象《げんしょう》である。これはいったい何《なに》が起《お》きているのだろう？

そこで、目《め》について勉強《べんきょう》してみたところ、ビックリ。筆者《ひっしゃ》の目《め》は飛《と》び出《だ》さなかったが、かなり驚《おどろ》きました。

人間《にんげん》の目《め》には、目《め》の正面《しょうめん》を覆《おお》う角膜《かくまく》、光《ひかり》を屈折《くっせつ》させるレンズ、目《め》を球形《きゅうけい》に保《たも》つために内部《ないぶ》を満《み》たしているガラス体《たい》など、透明《とうめい》な部分《ぶぶん》がある。これらには血管《けっかん》が通《とお》っていない。もし通《とお》っていたら、透明《とうめい》ではなくなって、それぞれの役割《やくわり》を果《は》たせなくなってしまう。

血液《けつえき》の働《はたら》きは、酸素《さんそ》や養分《ようぶん》を運《はこ》ぶことだ。血管《けっかん》が通《とお》っていなかったら、どうやってそれらを運《はこ》ぶのか。その役割《やくわり》を果《は》たすのは、まわりの血管《けっかん》の血液《けつえき》から作《つく》られていて、目《め》のなかに滲《にじ》み出《で》てく

る「房水《ぼうすい》」という透明《とうめい》な液体《えきたい》だ。角膜《かくまく》やレンズやガラス体《たい》の細胞《さいぼう》は、房水《ぼうすい》から酸素《さんそ》や養分《ようぶん》をもらって生《い》きている。

実《じつ》にうまくできた仕組《しく》みだが、驚《おどろ》くのはここからだ。目《め》に房水《ぼうすい》を流《なが》し込《こ》むのは、交感神経《こうかんしんけい》の働《はたら》きで、それを抑《おさ》えるのは、副交《ふくこう》感神経《かんしんけい》の働《はたら》きなのだ。

交感神経《こうかんしんけい》とは人間《にんげん》を興奮《こうふん》させる神経《しんけい》、副交感神経《ふくこうかんしんけい》とは落《お》ち着《つ》かせる神経《しんけい》だ。スポーツをしたり、怒《おこ》ったりしているときは、交感神経《こうかんしんけい》が活発《かっぱつ》に働《はたら》き、楽《たの》しく食事《しょくじ》をしたり、眠《ねむ》くなったりするときには、副交感神経《ふくこうかんしんけい》が働《はたら》いている。

この2つの神経《しんけい》は動物《どうぶつ》にもある。たとえば猫《ねこ》が「フーッ」と背中《せなか》の毛《け》を逆立《さかだ》てているときは交《こう》感神経《かんしんけい》が、のどをゴロゴロ鳴《な》らしているときは、副交感神経《ふくこうかんしんけい》が働《はたら》いているわけですね。

では、ビックリしたときは、どちらの神経《しんけい》が働《はたら》くだろう。当然《とうぜん》、交感神経《こうかんしんけい》だ。すると、目《め》に房《ぼう》水《すい》がドドーッと流《なが》れ込《こ》んで、目《め》が膨張《ぼうちょう》する可能性《かのうせい》があるということではないか！

なんと、驚《おどろ》いて目《め》が飛《と》び出《だ》すというのは、単《たん》なる誇張《こちょう》ではなく、科学的《かがくてき》にも理論《りろん》づけられる現《げん》象《しょう》だったのだ。自然《しぜん》も、マンガも、神秘《しんぴ》に満《み》ちているなあ。

◆眼球《がんきゅう》の体積《たいせき》が1L《リットル》に！

だが、物事《ものごと》には程度《ていど》というものがある。「驚《おどろ》く↓房水流入《ぼうすいりゅうにゅう》↓眼球膨張《がんきゅうぼうちょう》」というメカニズムが理《り》論的《ろんてき》にはあり得《う》るとしても、マンガのように眼球《がんきゅう》が盛大《せいだい》に膨張《ぼうちょう》したら、その人《ひと》の体《からだ》はどうなるのだろう。

冒頭《ぼうとう》に記《しる》したとおり『ストップ!!ひばりくん！』の耕作《こうさく》の目《め》など、前後《ぜんご》の長《なが》さが20㎝にも膨張《ぼうちょう》した。直径《ちょっけい》も10㎝ほどになっていた。ここから計算《けいさん》すると、片方《かたほう》の目《め》だけで、体積《たいせき》は1L《リットル》にも膨《ぼう》満《まん》したことになる。目《め》がこんなに膨《ふく》れ上《あ》がって、耕作《こうさく》は大丈夫《だいじょうぶ》なのだろうか？

普通《ふつう》に考《かんが》えれば、眼球《がんきゅう》を包《つつ》む「強膜《きょうまく》」が耐《た》えられず、破裂《はれつ》するだろう。耕作《こうさく》の強膜《きょうまく》が強烈《きょうれつ》に強靱《きょうじん》で、そうはならなかったとしても、問題《もんだい》がある。

耕作《こうさく》は普段《ふだん》から目《め》が大《おお》きいが、それでも体積《たいせき》は1L《リットル》には遠《とお》く及《およ》ばない。このたびの交感神経《こうかんしんけい》の大活発化《だいかっぱつか》では、片方《かたほう》の目《め》だけでまるまる1L《リットル》、両目《りょうめ》あわせて2L《リットル》の房水《ぼうすい》が、耕作《こうさく》の眼球《がんきゅう》に流《なが》れ込《こ》んだと考《かんが》えていいだろう。それだけの房水《ぼうすい》がどこから来《き》たのか？

前《まえ》に書《か》いたとおり、房水《ぼうすい》は血液《けつえき》から作《つく》られ、血管《けっかん》から滲《にじ》み出《で》てくる。すると、耕作《こうさく》の目《め》が飛《と》び出《だ》した瞬間《しゅんかん》、彼《かれ》の体《からだ》の他《ほか》の部分《ぶぶん》から、血液《けつえき》が2L《リットル》も減《へ》ったはずである。

人間《にんげん》の血液《けつえき》は、体重《たいじゅう》の13分《ぶん》の1を占《し》める。耕作《こうさく》の体重《たいじゅう》を60kgとすると血液《けつえき》は4・6kgだ。血液《けつえき》は1L《リットル》あたり1kgだから、そのうちの2kg、実《じつ》に43％が目《め》に行《い》っちゃったことになる。人間《にんげん》は、血液《けつえき》の33％以上《いじょう》を失《うしな》うと、全身《ぜんしん》の臓器《ぞうき》が働《はたら》かなくなり、命《いのち》が危《あや》うくなる。耕作《こうさく》は、出血《しゅっけつ》したわけでもないのに、その限界《げんかい》を超《こ》えてしまっている！

驚《おどろ》いて目《め》が飛《と》び出《だ》すと、命《いのち》が危険《きけん》にさらされるということだ。「ビックリすると目《め》が飛《と》び出《だ》す」という現象《げんしょう》が科学的《かがくてき》に間違《まちが》っていないことが明《あき》らかになった今《いま》、本書《ほんしょ》の読者《どくしゃ》の皆《みな》さんは、くれぐれも驚《おどろ》きすぎないように注意《ちゅうい》しましょう。

とっても気《き》になるマンガの疑問《ぎもん》

『新《しん》テニスの王子様《おうじさま》』のマトリョーシカ・オブ・ロシアは、どうすれば実現《じつげん》できますか？

ボールがコートを飛《と》び出《だ》し、ネットを支《ささ》えるネットポストの外側《そとがわ》をぐるりとカーブして、相手《あいて》のコートに突《つ》き刺《さ》さるブーメランスネイク！

対戦相手《たいせんあいて》にボールをぶつけて、観客席《かんきゃくせき》の最上段《さいじょうだん》まで吹《ふ》っ飛《と》ばす波動球《はどうきゅう》！

『テニスの王子様《おうじさま》』には、錦織圭選手《にしこりけいせんしゅ》もビックリの現実離《げんじつばな》れしたワザがいっぱい出《で》てくる。

『ジュニア空想科学読本《くうそうかがくどくほん》』シリーズでも、1人《ひとり》のプレーヤーが分身《ぶんしん》して2人《ふたり》になる「1人《ひとり》ダブルス」を取《と》り上《あ》げて、科学的《かがくてき》に考《かんが》えてみた（第《だい》3巻《かん》に収録《しゅうろく》してあるよ）。

このすごいマンガの続編《ぞくへん》『新《しん》テニスの王子様《おうじさま》』にも、やっぱりたくさんの超絶《ちょうぜつ》ワザが登場《とうじょう》する。

ここではその一《ひと》つ、平等院鳳凰《びょうどういんほうおう》の「マトリョーシカ・オブ・ロシア」を紹介《しょうかい》しよう。そのワザは……わははははっ、書《か》く前《まえ》から笑《わら》ってしまったが、これにはもう完全《かんぜん》に腰《こし》が抜《ぬ》けますぞ。

◆それはテニスのワザなのか？

マトリョーシカ・オブ・ロシアが炸裂《さくれつ》したのは、テニスコート上《じょう》ではない。U－17《アンダーセブンティーン》世界大会《せかいたいかい》を前《まえ》に、日本代表《にっぽんだいひょう》のメンバーはハワイにいた。この常夏《とこなつ》の地《ち》で、監督《かんとく》・三船入道《みふねにゅうどう》は選手《せんしゅ》たちに命《めい》じる。「日本男児《にっぽんだんじ》たるもの金髪女《きんぱつおんな》に気後《きおく》れする様《よう》では世界《せかい》は獲《と》れん！　このビーチの女《おんな》を軟派《なんぱ》してワシの所《ところ》に連《つ》れて来《こ》い」。ナンパ!?　見《み》ず知《し》らずの女《おんな》の子《こ》に声《こえ》をかけて、いきなり仲《なか》よくなれと!?　この監督《かんとく》、いったい何《なに》を考《かんが》えてるんだ!?

こうしていきなり始《はじ》まった、日本代表《にっぽんだいひょう》の高校生《こうこうせい》vs中学生《ちゅうがくせい》によるナンパ合戦《がっせん》。高校生《こうこうせい》が5－4のリードで迎《むか》えた最終決戦《さいしゅうけっせん》に登場《とうじょう》したのが、高校日本代表№《こうこうにっぽんだいひょうナンバー》1の平等院鳳凰《びょうどういんほうおう》であった。平等院《びょうどういん》は一組《ひとくみ》のカップルに近《ちか》づくと「この女《おんな》は貰《もら》っていくぞ」といって女性《じょせい》の手《て》を取《と》り、平然《へいぜん》と引《ひ》っぱっていく。

当然《とうぜん》、カップルの彼氏《かれし》は大激怒《だいげきど》。ロシア語《ご》でまくし立《た》てながら、拳銃《けんじゅう》を構《かま》えて安全装置《あんぜんそうち》を外《はず》す。

その彼氏《かれし》は、ロシアのマフィアだったのだ！

ところが、平等院《びょうどういん》は慌《あわ》てず騒《さわ》がず、どこからともなくテニスラケットとボールを取《と》り出《だ》すと、「マトリョーシカ・オブ・ロシア‼」と叫《さけ》んで、マフィアに向《む》かって強烈《きょうれつ》なサーブを放《はな》つ。

飛《と》んでいったボールは、飛《と》びながら上下《じょうげ》にパカッと開《ひら》き、中《なか》からひと回《まわ》り小《ちい》さなボールが飛《と》び出《だ》した！　そのボールも次《つぎ》の瞬間《しゅんかん》には上下《じょうげ》に割《わ》れ、中《なか》からまた、ひと回《まわ》り小《ちい》さなボールが！　こうして、ボールは次々《つぎつぎ》にパカパカと割《わ》れ、そのたびに小《ちい》さいボールが飛《と》び出《だ》して、割《わ》れたボールは空中《くうちゅう》に6個《こ》、整然《せいぜん》と並《なら》ぶ。そして最終的《さいしゅうてき》には、ビー玉《だま》くらいのボールが相手《あいて》の拳銃《けんじゅう》の銃口《じゅうこう》にポコとはまり、拳銃《けんじゅう》は暴発《ぼうはつ》するのだった……！

うははは。ついに『テニプリ』もここまで来《き》たか！　という怪現象《かいげんしょう》である。あまりにオモシロイので、これはもう科学的《かがくてき》に徹底検証《てっていけんしょう》するしかあるまいっ。

◆誰《だれ》が作《つく》ったのか、そのボール⁉

劇中《げきちゅう》の人物《じんぶつ》も解説《かいせつ》していたが、「マトリョーシカ」とはロシアの有名《ゆうめい》な民芸品《みんげいひん》だ。よくあるのは、民族衣装《みんぞくいしょう》を着《つ》けた少女《しょうじょ》の木製人形《もくせいにんぎょう》で、日本《にっぽん》のこけしにも似《に》ている。特徴《とくちょう》は、人形《にんぎょう》の中《なか》に小《ちい》さな人形《にんぎょう》が入《はい》っていて、さらにその人形《にんぎょう》にも小《ちい》さな人形《にんぎょう》が入《はい》っていて……という「開《あ》けても開《あ》けても構造《こうぞう》」になっていること。

だからこそ平等院《びょうどういん》は、このワザに「マトリョーシカ」の名《な》をつけたわけですね。なるほどぉ。

感心《かんしん》している場合《ばあい》ではない。マトリョーシカと同《おな》じ仕組《しく》みの7重構造《じゅうこうぞう》テニスボールなど、平等院《びょうどういん》はどこから調達《ちょうたつ》したのだろう？　市販《しはん》されているとは思《おも》えないから、自分《じぶん》でチマチマ作《つく》ったのか？　それともボールのメーカーに発注《はっちゅう》したのか？

どちらにせよ、そんなボールがあったとしても、空中《くうちゅう》で次《つぎ》から次《つぎ》に内側《うちがわ》のボールを飛《と》び出《だ》させつつ、6個《こ》を一列《いちれつ》に並《なら》べることなんて、できるのだろうか。

マンガの描写《びょうしゃ》を観察《かんさつ》する限《かぎ》り、ボールにバネなどを仕込《しこ》む余地《よち》はない。それでもパカッと開《ひら》いたということは、平等院《びょうどういん》は、飛《と》んでいくときに正面《しょうめん》から当《あ》たる風《かぜ》の力《ちから》を利用《りよう》したのだろう。

筆者《ひっしゃ》の見《み》るところ、そのメカニズムは次《つぎ》のとおりだ。

まず、いちばん外側《そとがわ》のボールに、風《かぜ》が正面《しょうめん》から当《あ》たる。その風《かぜ》はボールの割《わ》れ目《め》から入《はい》り込《こ》み、風圧《ふうあつ》で内側《うちがわ》から上下《じょうげ》に押《お》し開《ひら》く。開《ひら》いたボールは、風《かぜ》を受《う》けてスピードを落《お》とすが、内部《ないぶ》のボールは、そのまま飛《と》び続《つづ》ける。

だが、次《つぎ》の瞬間《しゅんかん》には、その内側《うちがわ》のボールにも正面《しょうめん》から風《かぜ》が当《あ》たって、割《わ》れ目《め》にも風《かぜ》が入《はい》り……という動《うご》きが繰《く》り返《かえ》された結果《けっか》、空中《くうちゅう》に、割《わ》れたボールの列《れつ》ができるのだっ！

◆筆者《ひっしゃ》もボールを作《つく》ってみた！

「できるのだっ！」と言《い》い切《き》ってしまったが、本当《ほんとう》にそんな現象《げんしょう》が起《お》こせるのだろうか？

それを検証《けんしょう》するため、１００円《えん》ショップで大小《だいしょう》のビニールボールを買《か》ってきた。大《おお》きなボールを一部分《いちぶぶん》だけ残《のこ》して２つに切《き》り、ひと回《まわ》り小《ちい》さいボールを内部《ないぶ》に入《い》れる。平等院《びょうどういん》よりずっとシンプルな２重構造《じゅうこうぞう》だが、柳田理科雄謹製《やなぎたりかおきんせい》マトリョーシカボールの完成《かんせい》です。

さあ、投《な》げてみよう。切《き》り口《くち》を前方《ぜんぽう》に向《む》けて思《おも》い切《き》り投《な》げると……あれ、パカッと割《わ》れない！

2つのボールは、一体化《いったいか》したまま飛《と》んでいくよ〜。

なぜだ!? これでは、ただボールを壊《こわ》してしまっただけのマヌケな人《ひと》である。筆者《ひっしゃ》が投《な》げるぐらいの球速《きゅうそく》では、ボールが開《ひら》くほどの風《かぜ》の力《ちから》は生《う》まれないということだろうか？

その可能性《かのうせい》はあると思《おも》う。作中《さくちゅう》のマトリョーシカ・オブ・ロシアの描写《びょうしゃ》を見《み》ると、ボールは5mほどの距離《きょり》を一直線《いっちょくせん》に飛《と》んでいるのだ。これは、並《なみ》のスピードではない。

でも、エンジンがあったり、翼《つばさ》で風《かぜ》に乗《の》ったりしない限《かぎ》り、地球上《ちきゅうじょう》ではどんなスピードで飛《と》ぶ物体《ぶったい》も少《すこ》しは落《お》ちる。一直線《いっちょくせん》に飛《と》んでいるように見《み》える平等院《びょうどういん》のボールも、相手《あいて》に届《とど》くまでに5㎜くらいは落《お》ちたと考《かんが》えよう。

その場合《ばあい》、この球《たま》のスピードは時速《じそく》564㎞。現実《げんじつ》のテニスのサーブでは、オーストラリアのサミュエル・グロス選手《せんしゅ》が打《う》った時速《じそく》263㎞が最高《さいこう》なのに、その倍以上《ばいいじょう》！

なるほど、これぐらいの球速《きゅうそく》があれば、ボールも景気《けいき》よくパカパカ開《ひら》く……のかもしれない。

◆何《なん》のために身《み》につけた!?

科学的《かがくてき》に探究《たんきゅう》すればするほど、マトリョーシカ・オブ・ロシアには驚《おどろ》かされる。

テニスボールがよく跳《は》ね返《かえ》るのは、厚《あつ》さ3・4㎜または4・2㎜のゴムに空気《くうき》が入《はい》っているからだ。ところが、平等院《びょうどういん》のマトリョーシカボールには、切《き》れ目《め》が入《はい》っているのだから、空気《くうき》の弾力性《だんりょくせい》は活《い》かせない。そんなボールで、時速《じそく》564㎞ものスピードを出《だ》したとは！

しかも、マンガのコマを見《み》ると、割《わ》れた6個《こ》のボールはすべて正面《しょうめん》を向《む》いている。これは、ボールがまったく回転《かいてん》しなかったということだ。現実《げんじつ》のテニスにも、ボールの回転《かいてん》を抑《おさ》える「フラットショット」という打《う》ち方《かた》があるらしいが、まったく回転《かいてん》しないわけではないようだ。

なのに、マトリョーシカ・オブ・ロシアは完璧《かんぺき》に無回転《むかいてん》。そんなボールを打《う》つには、通常《つうじょう》とは根底《こんてい》から違《ちが》う特殊《とくしゅ》なフォームが必要《ひつよう》だろう。平等院《びょうどういん》は、それを身《み》につけたのだろうか？　いったい何《なん》のために？　もちろん、マトリョーシカ・オブ・ロシアを打《う》つためだ！

言《い》うまでもないけど、こんなヘンなボールを試合《しあい》で使《つか》ったら、反則《はんそく》である。つまり、試合《しあい》では一度《いちど》も使《つか》う機会《きかい》はないワザであり、平等院鳳凰《びょうどういんほうおう》はそんなものまで会得《えとく》しているということだ。高校《こう》テニス界《かい》における恐《おそ》るべき実力者《じつりょくしゃ》ですなあ。

とっても気《き》になるアニメの疑問《ぎもん》

『エヴァ』の映画版《えいがばん》で、エヴァンゲリオンが全力疾走《ぜんりょくしっそう》していましたが、街《まち》は大丈夫《だいじょうぶ》ですか？

大地《だいち》を揺《ゆ》るがして戦《たたか》う巨大《きょだい》なヒーロー。とてもかっこいいが、昔《むかし》から気《き》になるのは「彼《かれ》らが本当《ほんとう》に現《あらわ》れて、アニメやマンガで描《えが》かれるとおりの大暴《おおあば》れをしたら、大《おお》きな被害《ひがい》が生《しょう》じるのではないか？」という問題《もんだい》だ。とくに心配《しんぱい》なのが、あの巨体《きょたい》でドドド〜ッと全力疾走《ぜんりょくしっそう》した場合《ばあい》である。

でも、アニメや特撮《とくさつ》に、意外《いがい》とそういうシーンはないよなあ……と思《おも》っていたら、あった！

『ヱヴァンゲリヲン新劇場版《しんげきじょうばん》：破《は》』に、エヴァが全力《ぜんりょく》で走《はし》るシーンが出《で》てきたのだ。

それは、こんな状況《じょうきょう》だった。宇宙空間《うちゅうくうかん》に、第《だい》8の使徒《しと》サハクィエルが出現《しゅつげん》。強力《きょうりょく》なバリア「A《エー》.T《ティー》.フィールド」を展開《てんかい》し、あらゆる兵器《へいき》を寄《よ》せつけないばかりか、このままでは地上《ちじょう》に落下《らっか》して、甚大《じんだい》な被害《ひがい》を発生《はっせい》させる。落下予測地点《らっかよそくちてん》は、人類《じんるい》の希望《きぼう》の砦《とりで》・ネルフ本部《ほんぶ》！

作戦責任者《さくせんせきにんしゃ》の葛城《かつらぎ》ミサトは、半径《はんけい》120km以内《いない》の市民《しみん》を避難《ひなん》させたうえで、オドロキの作戦《さくせん》を発表《はっぴょう》する。エヴァ3体《たい》を落下予想《らっかよそう》エリアに散開《さんかい》させ、こちらもA《エー》.T《ティー》.フィールドを張《は》って「手《て》で受《う》け止《と》める」ことにしたのだ。この作戦《さくせん》に従《したが》い、刻々《こくこく》と修正《しゅうせい》される落下地点《らっかちてん》に合《あ》わせて、3体《たい》のエヴァは第《だい》3新東京市《しんとうきょうし》を走《はし》り回《まわ》った……！

巨大《きょだい》ヒーローの疾走《しっそう》が物語《ものがたり》のハイライトになるとは！　前述《ぜんじゅつ》の疑問《ぎもん》を何年《なんねん》も抱《いだ》き続《つづ》けてきた筆《ひっ》者《しゃ》としては、まことに嬉《うれ》しい。ヨロコビに震《ふる》えつつ、ぜひとも研究《けんきゅう》しよう。

『スーパーロボット画報《がほう》』(竹書房《たけしょぼう》)によれば、劇中《げきちゅう》でいちばん豪快《ごうかい》な走《はし》りを見《み》せた初号機《しょごうき》は、全《ぜん》高《こう》40m、重量《じゅうりょう》700t。これほどの巨体《きょたい》が全力疾走《ぜんりょくしっそう》したら、いったいどうなるか!?

◆走《はし》る速度《そくど》は、超音速《ちょうおんそく》!?

サハクィエルの落下予想地点《らっかよそうちてん》、ネルフ本部《ほんぶ》は箱根《はこね》の芦《あし》ノ湖《こ》の畔《ほとり》にあった。そこから半径《はんけい》120kmとは、東《ひがし》は千葉《ちば》、北《きた》は群馬《ぐんま》、西《にし》は長野《ながの》・静岡《しずおか》に及《およ》ぶ。要《よう》するに、サハクィエルが落下《らっか》したら、関東全域《かんとうぜんいき》とその周辺《しゅうへん》が壊滅《かいめつ》すると予想《よそう》されたわけだ。

これを防《ふせ》ぐために全力《ぜんりょく》で走《はし》ったエヴァ初号機《しょごうき》のスピードを、画面《がめん》から割《わ》り出《だ》してみよう。

映像《えいぞう》をコマ送《おく》りしてみると、初号機《しょごうき》は右足《みぎあし》をもっとも高《たか》く上《あ》げた姿勢《しせい》から、13コマ目《め》で同《おな》じ姿《し》勢《せい》を取《と》っている。アニメのコマは毎秒《まいびょう》30枚《まい》だから、右足《みぎあし》を上《あ》げてから再《ふた》び上《あ》げるまで、すなわち2歩《ほ》を0・43秒《びょう》で走《はし》っていることになる。これは、とんでもないスピードのはずだ。

1秒《びょう》の歩数《ほすう》は4・6歩《ぽ》。ウサイン・ボルトが100m9秒《びょう》58の世界記録《せかいきろく》を出《だ》したとき、1秒《びょう》の歩数《ほすう》は平均《へいきん》4・5歩《ほ》だったから、ほぼ同《おな》じ。身長《しんちょう》が20倍《ばい》ほども違《ちが》うのに、足《あし》を動《うご》かすペースが変《か》わらないとは、驚《おどろ》くべきことだ。それは、初号機《しょごうき》の足《あし》を動《うご》かすスピードが、ボルトの20倍《ばい》も速《はや》いことを意味《いみ》する！

実際《じっさい》に、初号機《しょごうき》はどんなスピードで走《はし》ったのだろうか？

ウサイン・ボルトは身長《しんちょう》196㎝で、1歩《ぽ》の幅《はば》は275㎝。歩幅《ほはば》は身長《しんちょう》の1・4倍《ばい》だ。これと同《おな》じ比率《ひりつ》なら、全高《ぜんこう》40mの初号機《しょごうき》は、1歩《ぽ》で56mを進《すす》むことになる。

それを1秒間《びょうかん》に4・6回《かい》やるのだから、スピードは秒速《びょうそく》260m。これは時速《じそく》930㎞であり、マッハ0・76に相当《そうとう》する。ジェット旅客機《りょかくき》の巡航速度《じゅんこうそくど》は時速《じそく》850㎞なので、初号機《しょごうき》はジェット機《き》を上回《うわまわ》るモーレツな速度《そくど》で、地面《じめん》の上《うえ》を走《はし》ったということだ。

これで驚《おどろ》いてはいけない。サハクィエルの落下点《らっかてん》がわかると、初号機《しょごうき》はさらに速度《そくど》を上《あ》げた。

このときは右足《みぎあし》を上《あ》げてから次《つぎ》に上《あ》げるまで8コマ。すると、時速《じそく》1500㎞＝マッハ1・2。

なんと音速《おんそく》を超《こ》えている！

劇中《げきちゅう》でも衝撃波《しょうげきは》で乗用車十数台《じょうようしゃじゅうすうだい》が吹《ふ》っ飛《と》ばされていた。物体《ぶったい》の速度《そくど》が音速《おんそく》を超《こ》えると、周囲《しゅうい》に被害《ひがい》を与《あた》える衝撃波《しょうげきは》が発生《はっせい》するから、マッハ1・2という筆者《ひっしゃ》の計算結果《けいさんけっか》は、劇中《げきちゅう》の事実《じじつ》と照《て》らし合《あ》わせても大《おお》きくは間違《まちが》っていないだろう。

◆周囲《しゅうい》の被害《ひがい》はどのくらい？

この猛烈《もうれつ》な走《はし》りによって、周囲《しゅうい》に何《なに》が起《お》こるのか。

初号機《しょごうき》の重量《じゅうりょう》700tとは、16両編成《りょうへんせい》のN700系新幹線《けいしんかんせん》(715t)とほぼ同《おな》じである。だが、新幹線《しんかんせん》がレールを車輪《しゃりん》で転《ころ》がるのに対《たい》し、初号機《しょごうき》は2本《ほん》の足《あし》でドタバタと、しかも新幹線《しんかんせん》の5・6倍《ばい》の速度《そくど》で走《はし》るのだ。

これによる被害《ひがい》は半端《はんぱ》ではない。人間《にんげん》が走《はし》るとき、地面《じめん》には一蹴《ひとけ》りごとに身長《しんちょう》と同《おな》じ高《たか》さから飛《と》び降《お》りたのと同《おな》じ衝撃《しょうげき》が加《くわ》わるという。ここから計算《けいさん》すると、初号機《しょごうき》が地面《じめん》を1回蹴《かいけ》るごとに、爆薬《ばくやく》5tを爆発《ばくはつ》させたのと同《おな》じ衝撃《しょうげき》が発生《はっせい》するはずだ。そのエネルギーは熱《ねつ》に変《か》わり、熱《ねつ》は爆風《ばくふう》を生《う》み、半径《はんけい》110m以内《いない》の建物《たてもの》が全壊《ぜんかい》する！

1歩《ぽ》の歩幅《ほはば》は56mだから、破壊《はかい》される領域《りょういき》は重《かさ》なり合《あ》い、幅《はば》220mの帯状《おびじょう》になって、初号機《しょごうき》

の進路《しんろ》に沿《そ》って延《の》びていく……。とても正義《せいぎ》の汎用人型決戦兵器《はんようひとがたけっせんへいき》とは思《おも》えない所業《しょぎょう》ですな。

もちろん初号機《しょごうき》は、関東滅亡《かんとうめつぼう》という大惨事《だいさんじ》を防《ふせ》ぐために走《はし》ったのだから、これでも被害《ひがい》を大《おお》幅《はば》に軽減《けいげん》しているのである。う〜む、ここは大目《おおめ》に見《み》てあげるべきなのだろうなあ。

◆全力疾走《ぜんりょくしっそう》ではなかった!?

だが、初号機《しょごうき》の本来《ほんらい》の目的《もくてき》は、走《はし》ることではない。宇宙《うちゅう》から落《お》ちて来《く》る使徒《しと》サハクィエルを受《う》け止《と》めねばならんのだ。そんなコトできるの!?　という気《き》がするけど、関東全滅《かんとうぜんめつ》を防《ふせ》ぐために、絶対《ぜったい》にやってもらわねばならん。
それにはどれほどの力《ちから》が必要《ひつよう》なのか？

サハクィエルが半径《はんけい》１２０kmを全壊《ぜんかい》させるとしたら、その落下《らっか》のエネルギーはビキニ水爆《すいばく》２２０発分《ぱつぶん》に相当《そうとう》するはずだ。これを初号機《しょごうき》は、両手《りょうて》からA《エー》.T《ティー》.フィールドを出《だ》してガッキと受《う》け止《と》めた。このとき発揮《はっき》した力《ちから》は１４０兆《ちょう》t。なんと富士山《ふじさん》の１４０倍《ばい》も重《おも》いものを持《も》ち上《あ》げられる力《ちから》だ！　と書《か》きながらも、あまりにすごくて、筆者《ひっしゃ》にはイメージがわきません。

しかし、これだけは言《い》える。それほどの力《ちから》があるなら、初号機《しょごうき》はもっと速《はや》く走《はし》れるはずだ。つまり、劇中《げきちゅう》のマッハ１・２ですら、全力疾走《ぜんりょくしっそう》ではなかった可能性《かのうせい》がある。

想像《そうぞう》だけど、ウサイン・ボルトは１００kgのバーベルくらい持《も》ち上《あ》げられるのではないだろうか。この仮定《かてい》データをもとに計算《けいさん》するなら、１４０兆《ちょう》tの力《ちから》を有《ゆう》する初号機《しょごうき》の最高速度《さいこうそくど》は、マッハ18万《まん》９千《せん》！　地球《ちきゅう》を０・６２秒《びょう》で１周《しゅう》するものすごいスピードだ！

このモーレツな走《はし》りによって、１歩《ぽ》ごとに被害《ひがい》を受《う》ける半径《はんけい》は３２０km。ああ〜っ、サハクィエルの落下《らっか》による被害《ひがい》の想定半径《そうていはんけい》１２０kmを上回《うわまわ》ってしまう！

こうなっては、さすがに大目《おおめ》に見《み》てはもらえまい。科学的《かがくてき》に考《かん》えると、操縦者《そうじゅうしゃ》の碇《いかり》シンジは全《ぜん》力疾走《りょくしっそう》を控《ひか》えたはずであり、それはとても賢明《けんめい》な判断《はんだん》だった、と筆者《ひっしゃ》は思《おも》います。

とっても気《き》になるマンガの疑問《ぎもん》

『NARUTO《ナルト》』うずまきナルトの忍術《にんじゅつ》・螺旋丸《らせんがん》は、どれくらいの威力《いりょく》がありますか？

螺旋丸《らせんがん》は、『NARUTO《ナルト》』の主人公《しゅじんこう》・うずまきナルトが会得《えとく》したすごい忍術《にんじゅつ》だ。手《て》のひらにハンドボール大《だい》の球体《きゅうたい》を出現《しゅつげん》させ、手《て》のひらもろとも敵《てき》にぶつけると、敵《てき》は数十《すうじゅう》mもぶっ飛《と》ぶ！

この術《じゅつ》を編《あ》み出《だ》したのは、ナルトの父《ちち》・四代目《よんだいめ》火影《ほかげ》のミナトである。彼《かれ》の師《し》だった自来也《じらいや》は、弟子《でし》から学《まな》んで身《み》につけ、ミナトの死後《しご》、息子《むすこ》のナルトに伝授《でんじゅ》した。

これだけでも強力《きょうりょく》な術《じゅつ》なのに、ナルトが立派《りっぱ》なのは、忍者学校《アカデミー》のカカシ先生《せんせい》たちの指導《しどう》を受《う》け、修行《しゅぎょう》を積《つ》んで、さらに強化《きょうか》させていったことだ。影分身《かげぶんしん》の分身体《ぶんしんたい》といっしょに放《はな》つ「大玉螺旋丸《おおだまらせんがん》」へ。また「風《かぜ》」の性質《せいしつ》を加《くわ》えて遠《とお》くへ飛《と》ばす「風遁《ふうとん》螺旋手裏剣《らせんしゅりけん》」へ。

そして2年後《ねんご》、蛙《かえる》の長老《ちょうろう》・フカサクの下《もと》で身《み》につけた「仙法《せんぽう》 大玉螺旋丸《おおだまらせんがん》」は、驚異的《きょういてき》だった。体長《たいちょう》20mほどの巨大《きょだい》な獣《けもの》を空高《そらたか》くぶっ飛《と》ばしたのだ。

四代目火影《よんだいめほかげ》が3年《ねん》の歳月《さいげつ》をかけて完成《かんせい》させた螺旋丸《らせんがん》は、どれほどのワザなのか、また「仙法《せんぽう》 大玉螺旋丸《おおだまらせんがん》」とは、それをどれほど発展《はってん》させたワザなのか、それぞれの威力《いりょく》を考《かんが》えてみよう。

◆手《て》のひらで爆弾《ばくだん》が炸裂《さくれつ》!?

螺旋丸《らせんがん》は、他《ほか》の忍術《にんじゅつ》と同《おな》じように「チャクラ」から生《う》まれる。チャクラとは『NARUTO《ナルト》』の世界《せかい》の人々《ひとびと》が体内《たいない》に宿《やど》すエネルギーのようなもので、身体《しんたい》エネルギーと精神《せいしん》エネルギーを練《ね》り合《あ》わせて作《つく》るという。

現実世界《げんじつせかい》では確認《かくにん》されていないので、チャクラの実体《じったい》はわからないのだが、その性質《せいしつ》は作品《さくひん》から読《よ》み取《と》れる。自来也先生《じらいやせんせい》は、螺旋丸《らせんがん》を身《み》につけたいと望《のぞ》むナルトに、次《つぎ》のような3段階《だんかい》の修行《しゅぎょう》を課《か》した。

その1、水風船《みずふうせん》の水《みず》をチャクラで回転《かいてん》させて水風船《みずふうせん》を割《わ》る

その2、チャクラを激《はげ》しく回転《かいてん》させてゴムボールを割《わ》る

その3、水風船《みずふうせん》のなかでチャクラを激《はげ》しく回転《かいてん》させながら水風船《みずふうせん》の大《おお》きさを一定《いってい》に保《たも》つ

ここからわかるのは、チャクラは他《ほか》の物体《ぶったい》を動《うご》かし、運動《うんどう》が激《はげ》しくなればエネルギーが上昇《じょうしょう》し、圧縮《あっしゅく》することもできるということだ。これは、高温高圧《こうおんこうあつ》の気体《きたい》によく似《に》ている。そのような気体《きたい》は、爆風《ばくふう》となって他《ほか》の物体《ぶったい》を動《うご》かすし、温度《おんど》が高《たか》いほど激《はげ》しく動《うご》いているし、強《つよ》い圧力《あつりょく》をかければ圧縮《あっしゅく》もできる。

おそらく螺旋丸《らせんがん》は、小《ちい》さく圧縮《あっしゅく》したチャクラのエネルギーを一気《いっき》に解放《かいほう》し、敵《てき》をぶっ飛《と》ばす術《じゅつ》なのだろう。手《て》のひらで爆弾《ばくだん》を破裂《はれつ》させるも同然《どうぜん》ということだ。

その威力《いりょく》はどれほどか？　ナルトが初《はじ》めて螺旋丸《らせんがん》を放《はな》った相手《あいて》は、薬師《やくし》カブト。ナルトと同年《どうねん》代《だい》の医療忍者《いりょうにんじゃ》だが、徐々《じょじょ》に存在感《そんざいかん》を強《つよ》め、物語中盤《ものがたりちゅうばん》から残忍《ざんにん》な黒幕《くろまく》として暗躍《あんやく》する人物《じんぶつ》だ。

ナルトは、右《みぎ》の手《て》のひらでチャクラを激《はげ》しく回転《かいてん》させる。それを圧縮《あっしゅく》し、球《きゅう》の形《かたち》にしてカブトのボディに叩《たた》き込《こ》んだ。カブトは一直線《いっちょくせん》に飛《と》ばされて、20ｍほど後方《こうほう》の岩《いわ》にぶつかり、その表面《ひょうめん》を砕《くだ》いて止《と》まった。カブトが飛《と》ばされたコースに沿《そ》って、地面《じめん》は深《ふか》くえぐれていた……。

これはモノスゴイ威力《いりょく》だ。カブトの背中《せなか》は、岩《いわ》の表面《ひょうめん》を直径《ちょっけい》２ｍ、厚《あつ》さ10㎝ほどの領域《りょういき》で砕《くだ》いていた。彼《かれ》の体重《たいじゅう》を60㎏とすると、岩《いわ》に背中《せなか》から時速《じそく》１２０㎞で激突《げきとつ》したことになる。こんな目《め》に遭《あ》ってもカブトは死《し》ななかったが、どうかしていると思《おも》います。

ナルトの頑健《がんけん》さにも目《め》を見張《みは》る。普通《ふつう》、手《て》のひらで爆発《ばくはつ》など起《お》こしたら大《おお》ケガをするだろう。

それに、自分《じぶん》と同《おな》じくらいの体格《たいかく》のカブトがぶっ飛《と》んだのなら、自分《じぶん》だって反対側《はんたいがわ》へぶっ飛《と》ばされるはずだ。螺旋丸《らせんがん》は、チャクラの破壊力《はかいりょく》を相手《あいて》だけに伝《つた》える技《わざ》なのだろうか。このあたりは謎《なぞ》である。

では、このときの螺旋丸《らせんがん》の威力《いりょく》はどれほどか？　カブトの体《からだ》が岩《いわ》を砕《くだ》いたエネルギーを計算《けいさん》すると、爆薬《ばくやく》に換算《かんさん》して26g分《ぶん》。えっ、たったそれだけ!?　と筆者《ひっしゃ》も驚《おどろ》いたが、爆薬《ばくやく》というものは、それほど大《おお》きなエネルギーを持《も》つということだ。

この爆発《ばくはつ》で注目《ちゅうもく》したいのは「地面《じめん》がえぐれた」という事実《じじつ》である。近所《きんじょ》の空《あ》き地《ち》で、木《き》の板《いた》で実際《じっさい》に地面《じめん》をえぐるという実験《じっけん》をしたところ、土《つち》を1L《リットル》えぐるためのエネルギーは爆薬《ばくやく》0・16g分《ぶん》だった。マンガのコマでえぐれた体積《たいせき》を測定《そくてい》すると2千L《せんリットル》。ここから計算《けいさん》すると、えぐるのに必要《ひつよう》なエネルギーは、爆薬《ばくやく》320g分《ぶん》となる。なんと、地面《じめん》をえぐるには、岩《いわ》を砕《くだ》くより10倍《ばい》以上《いじょう》も大《おお》きなエネルギーが必要《ひつよう》だったのだ。皆《みな》さん、もっとえぐれに驚《おどろ》きましょー。

結局《けっきょく》、カブトの体《からだ》に打《う》ち込《こ》まれたエネルギーは、爆薬《ばくやく》346g分《ぶん》。標準的《ひょうじゅんてき》なダイナマイトには、爆薬《ばくやく》200gが入《はい》っているから、その2本分《ほんぶん》に近《ちか》い威力《いりょく》ということだ。これに耐《た》えたカブトはスゴすぎる。このとき倒《たお》しておけば、その後《ご》の戦《たたか》いも激化《げきか》しなかったかも……とも思《おも》うが、これほど体《からだ》が頑丈《がんじょう》だったら倒《たお》すのは難《むずか》しいですなあ。

◆7200倍《ばい》の大進歩《だいしんぽ》！

以上《いじょう》は、初《はじ》めて放《はな》った螺旋丸《らせんがん》の分析《ぶんせき》である。では2年後《ねんご》、フカサク先生《せんせい》の指導《しどう》の下《もと》で編《あ》み出《だ》した「仙法《せんぽう》 大玉螺旋丸《おおだまらせんがん》」の威力《いりょく》はどれほどになっていたのか？

フカサク先生《せんせい》はナルトに「仙術《せんじゅつ》」を伝授《でんじゅ》した。忍術《にんじゅつ》と幻術《げんじゅつ》が、身体《しんたい》エネルギーと精神《せいしん》エネルギーを練《ね》り上《あ》げたチャクラを使《つか》って出《だ》すのに対《たい》し、仙術《せんじゅつ》はそれに自然《しぜん》エネルギーを加《くわ》えたチャクラから発動《はつどう》するという。

「仙法《せんぽう》 大玉螺旋丸《おおだまらせんがん》」が炸裂《さくれつ》したシーンは、次《つぎ》のとおりだった。

①ナルトは、サイ型《がた》の獣《けもの》を、空中高《くうちゅうたか》く投《な》げ飛《と》ばす

②その後《ご》、2体《たい》に影分身《かげぶんしん》して「仙法《せんぽう》 大玉螺旋丸《おおだまらせんがん》」を放《はな》ち、犬型《いぬがた》と牛型《うしがた》の獣《けもの》をぶっ飛《と》ばす

③ナルトの合図《あいず》で、巨大《きょだい》な蛙《かえる》のブンちゃん、ケンちゃん、ヒロちゃんがジャンプ

④3匹《びき》の蛙《かえる》が、①②の3体《たい》の獣《けもの》を空中《くうちゅう》で斬《き》り捨《す》てる

こう書《か》くと簡単《かんたん》だが、劇中《げきちゅう》ではこの一連《いちれん》の展開《てんかい》のあいだにも、いろんな戦《たたか》いが繰《く》り広《ひろ》げられていた。その間《かん》、3体《たい》は宙《ちゅう》を舞《ま》っていたわけであり、滞空時間《たいくうじかん》が長《なが》いということは、かなりの高《たか》さまで飛《と》ばされたことになる。「仙法《せんぽう》 大玉螺旋丸《おおだまらせんがん》」には、それだけの威力《いりょく》があったということだ。

マンガのなかで起《お》きていることを筆者《ひっしゃ》が実演《じつえん》したと想定《そうてい》して計《はか》ってみると、①→②が15秒《びょう》、②

↓③が3秒《びょう》、③→④が10秒《びょう》かかった。

ここから計算《けいさん》すると、ナルトは「仙法《せんぽう》 大玉螺旋丸《おおだまらせんがん》」によって犬型《いぬがた》と牛型《うしがた》の獣《けもの》を時速《じそく》365㎞で打《う》ち上《あ》げ、それらは高度《こうど》525mまで上昇《じょうしょう》、打《う》ち上《あ》げられてから13秒後《びょうご》に、最高到達点《さいこうとうたつてん》から35m落下《らっか》した高度《こうど》490mで、ジャンプしてきた蛙《かえる》3匹《びき》に斬《き》られた……ということになる。

時速《じそく》365㎞で打《う》ち上《あ》げられた犬型《いぬがた》の体長《たいちょう》は19m、牛型《うしがた》は23m。それぞれ秋田犬《あきたいぬ》と黒毛和牛《くろげわぎゅう》をもとに計算《けいさん》すると、体重《たいじゅう》は犬型《いぬがた》が380t、牛型《うしがた》が590t。ここから導《みちび》かれる「仙法《せんぽう》 大玉螺旋丸《おおだまらせんがん》」の威力《いりょく》は、なんと爆薬《ばくやく》2・5t分《ぶん》である。

うーむ、これはビックリだ。何《なに》がビックリかというと、威力《いりょく》のアップ率《りつ》。さっき検証《けんしょう》した「最初《さいしょ》の螺旋丸《らせんがん》」の破壊力《はかいりょく》は爆薬《ばくやく》346g分《ぶん》だったのに、いまや爆薬《ばくやく》2・5t分《ぶん》！ ナルトはたった2年《ねん》で、威力《いりょく》を7200倍《ばい》にアップさせたのだ。これは、現在《げんざい》10㎏の荷物《にもつ》を持《も》てる小学《しょうがく》6年生《ねんせい》が、中学《ちゅうがく》2年《ねん》になったら72tを持《も》ち上《あ》げるようなものです。すごいですなあ。

しかし、すごいといえば、もっとすごい事実《じじつ》に筆者《ひっしゃ》は気《き》がついてしまった。

注目《ちゅうもく》すべきは、前述《ぜんじゅつ》の①→②にかかった時間《じかん》。これが15秒《びょう》ということは、ナルトはサイ型《がた》の獣《けもの》を投《な》げ上《あ》げた15秒後《びょうご》に、「仙法《せんぽう》 大玉螺旋丸《おおだまらせんがん》」を放《はな》ったわけだ。ところが、ブン投《な》げられたサイ型《がた》が落《お》ちてきて蛙《かえる》に斬《き》られたのは、その15秒後《びょうご》にぶっ飛《と》ばされた犬型《いぬがた》&牛型《うしがた》と同《おな》じタイミング。つ

まり、犬型《いぬがた》と牛型《うしがた》が宙《ちゅう》を13秒《びょう》舞《ま》っていたのに対《たい》し、サイ型《がた》だけ28秒《びょう》も空中《くうちゅう》にいたわけで、そうなったからには、コイツだけ高《こう》度《ど》1221mまで飛《と》ばされたという計算《けいさん》になる。……ってことは、ただの投《な》げ飛《と》ばしのほうが「仙法《せんぽう》 大玉螺旋丸《おおだまらせんがん》」より威力《いりょく》があった!?

すごい術《じゅつ》の陰《かげ》で、ヒッソリと、さらにスゴイことが行《おこな》われている。ナルトの底知《そこし》れぬ強《つよ》さがヒシヒシと伝《つた》わってくる科学的《かがくてき》エピソードではないか。

とっても気《き》になる伝説《でんせつ》の疑問《ぎもん》

ドラキュラは人《ひと》の血《ち》を吸《す》いますが、ドラキュラ自身《じしん》の血液型《けつえきがた》は何型《なにがた》ですか？

狼男《おおかみおとこ》や透明人間《とうめいにんげん》などと並《なら》んで、さまざまな映画《えいが》やマンガで描《えが》かれてきたのがドラキュラである。その名《な》を聞《き》いただけで、スリムな体形《たいけい》に、尖《とが》った顎《あご》、口《くち》からは小《ちい》さな牙《きば》が見《み》えていて……と姿《すがた》や顔《かお》まで想像《そうぞう》できてしまうから、この人《ひと》のキャラ立《だ》ちは見事《みごと》なもんですな。

さまざまなバリエーションが存在《そんざい》するドラキュラだが、調《しら》べてみると、もともとはアイルランドの劇評家《げきひょうか》ブラム・ストーカーが１８９７年《ねん》に書《か》いた小説《しょうせつ》『吸血鬼《きゅうけつき》ドラキュラ』の主人公《しゅじんこう》。筆者《ひっしゃ》も小説《しょうせつ》を読《よ》んでみたが、いや〜っ、怖《こわ》い！　髪《かみ》の毛《け》ほどの隙間《すきま》から室内《しつない》や墓《はか》に出入《でい》りする！　心臓《しんぞう》に杭《くい》を打《う》たねば死《し》なない！　ドラキュラに血《ち》を吸《す》われると吸血鬼《きゅうけつき》になる！

読《よ》まなきゃよかった……と後悔《こうかい》したが、読《よ》んでしまってからでは、もう遅《おそ》い。仕方《しかた》がないので、できるだけ科学的《かがくてき》に考《かんが》えて、ドラキュラの恐怖《きょうふ》を振《ふ》り払《はら》おう。

ドラキュラは血《ち》を吸《す》うが、それに血液型《けつえきがた》は関係《かんけい》しているのか？　もし関係《かんけい》するなら、吸《す》い合《あ》わせの悪《わる》い血《ち》をつい吸《す》ってしまうことで、ドラキュラ自身《じしん》の血《ち》が固《かた》まって悶絶死《もんぜつし》……という嬉《うれ》しい可能性《かのうせい》も出《で》てくるのだが。

◆かわいそうなO型《がた》のドラキュラ

異《こと》なる血液型《けつえきがた》の血《ち》を混《ま》ぜると、血《ち》が固《かた》まってしまう。この現象《げんしょう》は「血液凝集《けつえきぎょうしゅう》」と呼《よ》ばれ、輸血《ゆけつ》の際《さい》などに重要《じゅうよう》な問題《もんだい》となる。筆者《ひっしゃ》が期待《きたい》するのは、これが災《わざわ》いして、人間《にんげん》の血《ち》を吸《す》ったドラキュラが自滅《じめつ》する可能性《かのうせい》だ。

しかし血液凝集《けつえきぎょうしゅう》は、血液中《けつえきちゅう》の「凝集原《ぎょうしゅうげん》」と「凝集素《ぎょうしゅうそ》」によって起《お》こり、これらはともにタンパク質《しつ》だ。これに沿《そ》って考《かんが》えると……う〜む、筆者《ひっしゃ》の希望《きぼう》は風前《ふうぜん》の灯《ともしび》だなあ。

人間《にんげん》が口《くち》から摂《と》ったタンパク質《しつ》は、消化《しょうか》されてアミノ酸《さん》に分解《ぶんかい》され、小腸《しょうちょう》の柔毛《じゅうもう》から血液中《けつえきちゅう》に吸収《きゅうしゅう》される。そのアミノ酸《さん》を材料《ざいりょう》として、生《い》きていくのに必要《ひつよう》な別《べつ》のタンパク質《しつ》が作《つく》られる。

ドラキュラは、人《ひと》の生《い》き血《ち》をチュウチュウ吸《す》うのだから、その血液《けつえき》に含《ふく》まれる凝集原《ぎょうしゅうげん》も、凝集《ぎょうしゅう》素《そ》も、胃《い》や腸《ちょう》で消化《しょうか》されてバラバラになり、本人《ほんにん》の血液型《けつえきがた》に合《あ》わせて作《つく》り直《なお》されるということだ。

つまり、何型《なにがた》の血《ち》を吸《す》おうと、ドラキュラはいたって健康《けんこう》……。

だが、『吸血鬼《きゅうけつき》ドラキュラ』によれば、ドラキュラはひたすら血《ち》をすり、普通《ふつう》の食《た》べ物《もの》は食《た》べないという。これはもしかして、消化能力《しょうかのうりょく》を持《も》っていないということではないのかっ!?

ここは、そう信《しん》じよう。ドラキュラが消化能力《しょうかのうりょく》を持《も》っていないとすれば、吸《す》った血《ち》の凝集原《ぎょうしゅうげん》も凝集素《ぎょうしゅうそ》も、そのままドラキュラの体《からだ》に入《はい》っていくから、輸血《ゆけつ》をしているのと同《おな》じことになる。するとめでたく、ドラキュラが血液凝集《けつえきぎょうしゅう》でバッタリ、という可能性《かのうせい》が!

その場合《ばあい》、どんな組《く》み合《あ》わせの血液型《けつえきがた》なら、血液凝集《けつえきぎょうしゅう》が起《お》きるのか。

凝集素《ぎょうしゅうそ》は「血《ち》を固《かた》める糊《のり》が入《はい》った袋《ふくろ》」のようなもの、凝集原《ぎょうしゅうげん》は「袋《ふくろ》を切《き》り裂《さ》くハサミ」のようなものだ。それぞれ２種類《しゅるい》があり、色《いろ》にたとえると、赤《あか》い袋《ふくろ》は赤《あか》いハサミでしか、青《あお》い袋《ふくろ》は青《あお》いハサミでしか切《き》れない。そして、それぞれの血液型《けつえきがた》は、次《つぎ》の色《いろ》の袋《ふくろ》とハサミを持《も》っている。

Ａ型《がた》　赤《あか》い袋《ふくろ》と、青《あお》いハサミ　　Ｂ型《がた》　青《あお》い袋《ふくろ》と、赤《あか》いハサミ
Ｏ型《がた》　赤《あか》い袋《ふくろ》と、青《あお》い袋《ふくろ》　　ＡＢ型《がた》　赤《あか》いハサミと、青《あお》いハサミ

すると、どうなるか。Ａ型《がた》のドラキュラは、赤《あか》い袋《ふくろ》を持《も》っているので、赤《あか》いハサミを装備《そうび》したＢ型《がた》とＡＢ型《がた》の血《ち》を吸《す》うと、血液《けつえき》が凝集《ぎょうしゅう》して倒《たお》れる！　吸《す》えるのは、Ｏ型《がた》とＡ型《がた》の血《ち》だけだ。同《おな》

じ仕組《しく》みで、B型《がた》のドラキュラも、O型《がた》とB型《がた》の血《ち》しか吸《す》えない。

嬉《うれ》しいのは、AB型《がた》のドラキュラだ。ハサミしか持《も》っていないから、何色《なにいろ》のハサミが来《こ》ようと無関係《むかんけい》。つまり、血液型《けつえきがた》など気《き》にせず、チュウチュウ吸《す》える！

逆《ぎゃく》に戦々恐々《せんせんきょうきょう》なのは、O型《がた》だ。袋《ふくろ》を2色《しょく》とも持《も》っちゃってるので、何色《なにいろ》のハサミが来《き》てもアウト。吸《す》えるのはハサミのないO型《がた》の血《ち》だけで、それ以外《いがい》を吸《す》うと、血《ち》が固《かた》まってバッタリ！

ああ、なんという不公平《ふこうへい》であろう……などと、O型《がた》のドラキュラを憐《あわ》れんでいる場合《ばあい》ではない。これは、吸《す》われる側《がわ》の人間《にんげん》も同《おな》じだからだ。ドラキュラにとって、血液型《けつえきがた》は生死《せいし》に関《かか》わる問題《もんだい》であるから、細心《さいしん》の注意《ちゅうい》を払《はら》っているだろう。AB型《がた》の血《ち》は、2色《しょく》のハサミを全備《ぜんび》する超攻撃型《ちょうこうげきがた》。これを吸《す》えるのは、袋《ふくろ》を持《も》たないAB型《がた》のドラキュラだけだ。つまり、AB型《がた》の人《ひと》は、AB型《がた》のドラキュラにしか狙《ねら》われない。一方《いっぽう》、O型《がた》の人《ひと》はあらゆるドラキュラのエジキになる！

吸《す》うにしても、吸《す》われるにしても、なんと不幸《ふこう》なO型《がた》であろう。そして、わが身《み》を振《ふ》り返《かえ》れば、あぁっ、O型《がた》だ！　わ～ん、今夜《こんや》あたり襲《おそ》われるかもしれません～。

◆ドラキュラは頭《あたま》がボケーッ！

そもそも、ドラキュラは、血《ち》を吸《す》うだけで充分《じゅうぶん》な栄養《えいよう》が摂《と》れるのだろうか？　吸《す》っても吸《す》っても足《た》りず、栄養失調《えいようしっちょう》で倒《たお》れる運命《うんめい》にあるとしたら、それに越《こ》したことはないのだが。

動物《どうぶつ》が生《い》きていくには、炭水化物《たんすいかぶつ》、タンパク質《しつ》、脂肪《しぼう》が必要《ひつよう》だ。そして、１Ｌ《リットル》の血液《けつえき》には、炭水化物《たんすいかぶつ》が１ｇ、タンパク質《しつ》が72ｇ、脂肪《しぼう》が８ｇ含《ふく》まれる。

小説《しょうせつ》のドラキュラは、若《わか》い女性《じょせい》の血《ち》を好《この》んで吸《す》っていた。体重《たいじゅう》50kgの女性《じょせい》の体内《たいない》には３・８Ｌ《リットル》の血液《けつえき》が流《なが》れている。それだけの血《ち》を吸《す》い尽《つ》くしたとき、ドラキュラは３・８ｇの炭水化物《たんすいかぶつ》、２８０ｇのタンパク質《しつ》、30ｇの脂肪《しぼう》を摂取《せっしゅ》できることになる。

総《そう》エネルギーを計算《けいさん》してみると……うげっ、１２００キロカロリーもある！　成人男子《せいじんだんし》が１日《にち》に必要《ひつよう》とするのは２千《せん》キロカロリー前後《ぜんご》だから、ドラキュラも同《おな》じだとしたら、１日《にち》に２人《ふたり》の血《ち》を吸《す》えば充分《じゅうぶん》なのだ。

だが、栄養《えいよう》のバランスはどうなのか。脳《のう》は、炭水化物《たんすいかぶつ》の一種《いっしゅ》のブドウ糖《とう》しかエネルギー源《げん》にできず、これが不足《ふそく》すると、頭《あたま》がボーッとして、集中力《しゅうちゅうりょく》に欠《か》け、記憶力《きおくりょく》が減退《げんたい》し、やる気《き》も起《お》こらない。ブドウ糖《とう》はご飯《はん》やパンに含《ふく》まれる。だから「朝《あさ》ごはんを食《た》べましょう」と言《い》われるわけだ。

成人男性《せいじんだんせい》が１日《にち》に必要《ひつよう》なブドウ糖《とう》は１２０ｇ。ドラキュラは、１日《にち》に32人《にん》の血《ち》を吸《す》わなければ、ボケーッとして、人《ひと》を襲《おそ》っても、窓枠《まどわく》につまずくやら、自分《じぶん》の腕《うで》を噛《か》むやらという失態《しったい》を演《えん》じる。忘《わす》れっぽくなり、血《ち》を吸《す》おうという気力《きりょく》もなくなる。これはラッキーだ！

しかし、ドラキュラが根性《こんじょう》を出《だ》して、1日《にち》に32人《にん》を襲《おそ》い始《はじ》めたらどうなるのか。吸《す》わねばならぬ血液《けつえき》は１２０kg。スリムなドラキュラにとっては、体重《たいじゅう》の2倍《ばい》ほどにもなる。

いくらドラキュラでも、血液《けつえき》ばかりそんなに飲《の》めないだろう。無理《むり》やり飲《の》んだら、あまりの満《まん》腹感《ぷくかん》に、頭《あたま》がボケーッとして、人《ひと》を襲《おそ》ってもやたら失敗《しっぱい》し……。あれっ、やっぱり同《おな》じ結論《けつろん》!?

おやおや、意外《いがい》と心配《しんぱい》しなくても大丈夫《だいじょうぶ》かもよ、ドラキュラ問題《もんだい》。

とっても気《き》になる特撮《とくさつ》の疑問《ぎもん》

宇宙怪獣《うちゅうかいじゅう》バイラスは、合体《がったい》して大《おお》きくなりましたが、あの合体《がったい》は怪《あや》しくないですか？

運動会《うんどうかい》でいちばん盛《も》り上《あ》がるのは、リレーで遅《おく》れていたチームが、見《み》る見《み》る追《お》い上《あ》げるシーンではないだろうか。そんなとき、応援席《おうえんせき》や観客席《かんきゃくせき》は、敵味方《てきみかた》を忘《わす》れて歓声《かんせい》を送《おく》る。

筆者《ひっしゃ》が子《こ》どもの頃《ころ》、特撮映画《とくさつえいが》の世界《せかい》で、これによく似《に》た状況《じょうきょう》があった。怪獣映画《かいじゅうえいが》の元祖《がんそ》『ゴジラ』シリーズに、後発《こうはつ》の『ガメラ』シリーズが、ぐんぐん迫《せま》っていったのである。

第《だい》1作《さく》『大怪獣《だいかいじゅう》ガメラ』は、物語《ものがたり》の面白《おもしろ》さも、特撮《とくさつ》の技術《ぎじゅつ》も、いまひとつだったけれど、第《だい》2作《さく》『大怪獣決闘《だいかいじゅうけっとう》 ガメラ対《たい》バルゴン』は、ていねいに作《つく》られた重厚《じゅうこう》な傑作《けっさく》だった。続《つづ》く『大怪獣《だいかいじゅう》空中戦《くうちゅうせん》 ガメラ対《たい》ギャオス』は、手《て》に汗握《あせにぎ》る第一級《だいいっきゅう》の娯楽映画《ごらくえいが》に仕上《しあ》がっていた。われわれはワクワクしたものだ。この調子《ちょうし》で行《い》くと、次《つぎ》のガメラ映画《えいが》はすごいことになるのでは……!?

ところが、期待《きたい》の第《だい》4作《さく》『ガメラ対宇宙怪獣《たいうちゅうかいじゅう》バイラス』では、ムードが一転《いってん》。「えっ、追《お》い上《あ》げるの、やめたの!?」と聞《き》きたくなるような映画《えいが》になっていた。

相手《あいて》の怪獣《かいじゅう》・バイラスが「単《たん》なるイカじゃん」という姿《すがた》だったこともあるが、それだけではない。ガメラとバイラスは激《はげ》しい戦《たたか》いを展開《てんかい》し、バイラスの尖《とが》った頭《あたま》が、ガメラの体《からだ》を腹《はら》から背中《せなか》へ刺《さ》し貫《つらぬ》く！ という衝撃的《しょうげきてき》な場面《ばめん》があった。われわれは「いくらガメラでも、胴体《どうたい》を串刺《くしざ》しにされたら死《し》ぬのでは!?」と緊張《きんちょう》したものだが、それは観客《かんきゃく》だけ。劇中《げきちゅう》の人々《ひとびと》は、あんまり心配《しんぱい》する様子《ようす》もないし、当《とう》のガメラも、とっても元気《げんき》だし……。

子《こ》ども心《ごころ》に「不思議《ふしぎ》な映画《えいが》だなあ」と思《おも》ったものだが、大人《おとな》になって事情《じじょう》を知《し》り、深々《ふかぶか》とナットクした。これが公開《こうかい》された1968年頃《ねんごろ》、日本映画《にほんえいが》は観客《かんきゃく》が激減《げきげん》、映画会社《えいがかいしゃ》は経営《けいえい》が苦《くる》しくなって、前年《ぜんねん》の『ガメラ対《たい》ギャオス』と比《くら》べると、予算《よさん》はなんと3分《ぶん》の1に！ おカネをかけずに迫力《はくりょく》を出《だ》すためには「突《つ》く、刺《さ》す、切《き》る」をやるしかなかったらしいのだ。

うーむ、そうだったのか。そんなに困《こま》っていたとは知《し》らず、文句《もんく》を言《い》いながら見《み》てしまって、すみませんでした。

というわけで、いまとなっては優《やさ》しい目《め》で見《み》てしまう『ガメラ対《たい》バイラス』なのだが、科学的《かがくてき》には忘《わす》れられないシーンがある。バイラス星人《せいじん》の合体《がったい》だ。

ガメラが出現《しゅつげん》すると、それまで身長《しんちょう》3mほどだった数人《すうにん》のバイラス星人《せいじん》が合体《がったい》して、見《み》る見《み》るうちに巨大化《きょだいか》したのである。怪獣図鑑《かいじゅうずかん》によれば、最終的《さいしゅうてき》には、身長《しんちょう》96m、体重《たいじゅう》120t！ ガメラが60m、80tだったから、身長《しんちょう》は1・6倍《ばい》、体重《たいじゅう》は1・5倍《ばい》も大《おお》きかったことになる。

だがこの合体《がったい》、科学的《かがくてき》に考《かんが》えると、とっても怪《あや》しいのだ……。

◆3mの6人《にん》が合体《がったい》して96mに!?

普通《ふつう》に考《かんが》えれば、身長《しんちょう》3mのバイラス星人《せいじん》が集《あつ》まって96mの怪獣《かいじゅう》バイラスとなるには、かなりの人数《にんずう》が必要《ひつよう》なはずである。3mから96mになると、拡大率《かくだいりつ》は32倍《ばい》。すると、集合《しゅうごう》すべきバイラス星人《せいじん》の数《かず》は32×32×32で、なんと3万《まん》2768人《にん》！

恐《おそ》るべき大軍勢《だいぐんぜい》である。しかも、バイラス星人《せいじん》は知能指数《ちのうしすう》が2500もあるという。そんなに頭《あたま》のいい宇宙人《うちゅうじん》が3万《まん》3千人《ぜんにん》もいるなら、合体《がったい》なんかしないで、3万《まん》3千機《ぜんき》の宇宙船《うちゅうせん》に乗《の》って攻撃《こうげき》すれば、ガメラにもたちまち勝《か》てそうな気《き》がする。

だが、映画《えいが》には、こんなにたくさんのバイラス星人《せいじん》は出《で》てこなかった。問題《もんだい》の合体《がったい》シーンを見《み》てみると、ギョギョッ！ 合体前《がったいまえ》の人数《にんずう》は、たったの6人《にん》しかいない！ 3mのバイラス星人《せいじん》が

6人合体《にんがったい》して、なぜ96mにまで巨大化《きょだいか》できるんだ!?

あまりの不思議《ふしぎ》に、手元《てもと》の怪獣図鑑《かいじゅうずかん》をいろいろ調《しら》べてみたところ、『怪獣怪人大全集《かいじゅうかいじんだいぜんしゅう》2 ガメラ大魔神《だいまじん》』(ケイブンシャ)という本《ほん》で、驚《おどろ》くべき記述《きじゅつ》を発見《はっけん》した。合体《がったい》のシーンに「バイラス星人《せいじん》は見《み》る間《ま》に2倍《ばい》4倍《ばい》8倍《ばい》……32倍《ばい》」という説明《せつめい》が添《そ》えられており、そこには5段階《だんかい》で巨大化《きょだいか》していく写真《しゃしん》もついている!

な〜るほど。1人《ひとり》が加《くわ》わるごとに、身長《しんちょう》が2倍《ばい》になるわけか。2人《ふたり》が合体《がったい》して6m、3人《にん》で12m、4人《にん》で24m、5人《にん》で48m、6人《にん》で96m! おお、計算《けいさん》もピッタリ合《あ》う。

これは高校《こうこう》2年《ねん》の数学《すうがく》で習《なら》う「指数関数《しすうかんすう》」という関係《かんけい》だ。2人《ふたり》、3人《にん》、4人《にん》……と合体《がったい》すれば、普通《ふつう》は「身長《しんちょう》」ではなく「体重《たいじゅう》」が2倍《ばい》、3倍《ばい》、4倍《ばい》……と増《ふ》えていくはずである。こちらは、小学《しょうがく》5年《ねん》で習《なら》う「比例《ひれい》」という関係《かんけい》だ。体重《たいじゅう》ではなく身長《しんちょう》が、比例《ひれい》ではなく指数関数《しすうかんすう》で増《ふ》えるなど、地球《ちきゅう》の科学《かがく》では考《かんが》えられない。それを平然《へいぜん》とやるとは、さすが知能指数《ちのうしすう》２５００の宇宙人《うちゅうじん》!

いやいや、感心《かんしん》している場合《ばあい》ではない。この調子《ちょうし》で行《い》くと、恐《おそ》ろしいことになる。もう1人合《ひとりがっ》体《たい》すれば、身長《しんちょう》は１９２mに! この時点《じてん》で、身長《しんちょう》60mのガメラには圧勝《あっしょう》できるだろう。

さらにもう1人《ひとり》で３８４mとなり、東京《とうきょう》タワーを超《こ》える。12人集《にんあつ》まれば６１４４mとなって富《ふ》士山《じさん》を見下《みお》ろし、28人《にん》が合体《がったい》すれば40万《まん》kmにもなって月《つき》まで届《とど》き、そして88人《にん》が合体《がったい》すると、その身長《しんちょう》は490億光年《おくこうねん》。宇宙《うちゅう》の直径《ちょっけい》を超《こ》えてしまうのだ！　いったいどうなってんの!?

そもそもこの合体《がったい》、「どんな変化《へんか》が起《お》きても、重《おも》さの合計《ごうけい》は変《か》わらない」という「質量保存《しつりょうほぞん》の法則《ほうそく》」を完全《かんぜん》に無視《むし》しているではないか。身長《しんちょう》が32倍《ばい》になれば、前述《ぜんじゅつ》したように3万2768人《にん》分《ぶん》の体重《たいじゅう》になるはずだが、その元《もと》になったのは、たったの6人《にん》？

なぜこんなワケのわからない合体《がったい》を……と書《か》きかけて、ハッと気《き》がついた。

予算《よさん》がなかったのではないか。本当《ほんとう》なら3万2768人《にん》のバイラス星人《せいじん》を合体《がったい》させたかったが、予算《よさん》の都合《つごう》で6人《にん》しか登場《とうじょう》させられなかった。この少《すく》ない陣容《じんよう》で身長《しんちょう》96mに巨大化《きょだいか》するには、指《し》数関数《すうかんすう》を応用《おうよう》するしかなかったのに違《ちが》いない。う〜む、そうか〜。

などと、台所事情《だいどころじじょう》を想像《そうぞう》して、この大問題《だいもんだい》を解決《かいけつ》したことにしちゃっていいのかな？

◆尻《しり》として生《い》きていく！

それにしても、6人《にん》が合《あ》わさって1人《ひとり》になるとは、限《かぎ》りなく不気味《ぶきみ》な現象《げんしょう》である。こんなコトをして、バイラス星人《せいじん》たちは大丈夫《だいじょうぶ》だったのだろうか。

合体《がったい》する生物《せいぶつ》は、自然界《しぜんかい》にも存在《そんざい》する。クラミドモナスという、体《からだ》がたった一《ひと》つの細胞《さいぼう》でできた生物《せいぶつ》は、生活環境《せいかつかんきょう》が快適《かいてき》なときはバラバラに活動《かつどう》するが、条件《じょうけん》が悪《わる》くなると寄《よ》り集《あつ》まって、パ

ンドリナという、たくさんの細《さい》胞《ぼう》でできた多細胞形態《たさいぼうけいたい》になる。

これに学《まな》ぶと、合体《がったい》したバイラス星人《せいじん》の気持《きも》ちもヒシヒシと伝《つた》わってくるではないか。ガメラ出現《しゅつげん》という環境《かんきょう》の大悪化《だいあっか》に、本能的《ほんのうてき》に寄《よ》り集《あつ》まってしまったのだろう。想像《そうぞう》だけど。

ただし、バイラス星人《せいじん》は間違《まちが》いなく、最初《さいしょ》から多細胞生物《たさいぼうせいぶつ》であろう。それが合体《がったい》するというのは、どういうことなのか。たとえば、6人《にん》の脳《のう》だけがウネウネ集《あつ》まって巨大《きょだい》な脳《のう》に、腸《ちょう》だけがニョロニョロ寄《よ》り合《あ》って巨大《きょだい》な腸《ちょう》になるということ？

その場合《ばあい》、一《ひと》つの脳《のう》のなかで、6人分《にんぶん》の意識《いしき》が混《ま》ざり合《あ》ったりしないのだろうか。しかも、一《ひと》つ一《ひと》つの知能指数《ちのうしすう》が2500なのだ。これが6つ集《あつ》まって、さらに頭《あたま》がよくなれば幸《さいわ》いだけれど、全員《ぜんいん》が自分《じぶん》の考《かんが》えに自信《じしん》を持《も》っていたら、何《なに》かするたびに、あーでもないこーでもないとモメたりしそうだなあ。

そうではなく、6人《にん》が集《あつ》まった後《のち》、細胞自体《さいぼうじたい》が変化《へんか》して、あるバイラス星人《せいじん》は怪獣《かいじゅう》バイラスの頭《あたま》に、別《べつ》のバイラス星人《せいじん》は足《あし》や尻《しり》になる……という考《かんが》え方《かた》もできる。2012年《ねん》にノーベル賞《しょう》を受《う》けた山中伸弥教授《やまなかしんやきょうじゅ》の「iPS細胞《アイピーエスさいぼう》」の技術《ぎじゅつ》を使《つか》えば、不可能《ふかのう》ではない。しかし、その場合《ばあい》もやはりモメると思《おも》う。

彼《かれ》らの立場《たちば》になってもらいたい。あなたなら脳《のう》と尻《しり》、どっちになりたいですか？

無理《むり》やり尻《しり》にされてしまったバイラス星人《せいじん》のことを思《おも》うと、筆者《ひっしゃ》は胸《むね》が痛《いた》む。さっきまで知能《ちのう》指数《しすう》2500を誇《ほこ》っていたのに、知識《ちしき》も思考力《しこうりょく》も淡《あわ》い思《おも》いも捨《す》て去《さ》って、これからは一介《いっかい》の尻《しり》として生《い》きていかねばならんとは……。

バイラス星人《せいじん》に限《かぎ》らず、いくつかのものが一《ひと》つにまとまるというのは、大変《たいへん》なことである。世《よ》の中《なか》を見《み》ても、会社一《かいしゃひと》つ合併《がっぺい》するのにも、てんやわんやの大騒《おおさわ》ぎではないか。合体《がったい》は慎重《しんちょう》に。

とっても気《き》になるアニメの疑問《ぎもん》

『借《か》りぐらしのアリエッティ』で、人間《にんげん》と小人《こびと》が会話《かいわ》していました。実際《じっさい》に可能《かのう》ですか？

『借《か》りぐらしのアリエッティ』は、メアリー・ノートンの児童文学《じどうぶんがく》『床下《ゆかした》の小人《こびと》たち』を、スタジオジブリがアニメ映画化《えいがか》したものだ。映画《えいが》のキャッチコピーは「人間《にんげん》に見《み》られてはいけない」。

ひゃ〜、そう言《い》われるとドキドキするな〜。

もうすぐ14歳《さい》になる小人《こびと》のアリエッティは、古《ふる》い屋敷《やしき》の床下《ゆかした》に、両親《りょうしん》と住《す》んでいた。彼女《かのじょ》たちは、ときおり屋敷《やしき》の台所《だいどころ》や食堂《しょくどう》に出《で》かけていき、角砂糖《かくざとう》1個《こ》、ティッシュ1枚《まい》……など、生活《せいかつ》に必要《ひつよう》なものを人間《にんげん》からこっそり借《か》りて暮《く》らしていた。ふむ、だから「借《か》りぐらし」なんですな。

その屋敷《やしき》に、心臓《しんぞう》の手術《しゅじゅつ》を控《ひか》えた少年《しょうねん》・翔《しょう》がやってくる。アリエッティは「人間《にんげん》に近《ちか》づくな」

という両親《りょうしん》の教《おし》えを守《まも》り、初《はじ》めは翔《しょう》を警戒《けいかい》していた。が、やがて彼《かれ》の優《やさ》しさに気《き》づき、言葉《ことば》を交《か》わすようになり……と、２人《ふたり》が古《ふる》い掟《おきて》を乗《の》り越《こ》えて心《こころ》を通《かよ》わせていく物語《ものがたり》なのだが、お話《はなし》に引《ひ》き込《こ》まれながらも、考《かんが》えたいことがある。

劇中《げきちゅう》、２人《ふたり》はごく自然《しぜん》に話《はな》していたが、アリエッティの身長《しんちょう》は、翔《しょう》の人差《ひとさ》し指《ゆび》を少《すこ》し上回《うわまわ》るぐらい。ここまで体《からだ》の大《おお》きさが違《ちが》うのに、会話《かいわ》は成立《せいりつ》するのだろうか？

◆身長《しんちょう》10㎝で出《だ》せる声《こえ》の大《おお》きさは？

アリエッティの身長《しんちょう》は、翔《しょう》の指《ゆび》などと比《くら》べると、10㎝に少《すこ》し足《た》りないくらいだ。

日本人《にっぽんじん》14歳《さい》女子《じょし》の平均身長《へいきんしんちょう》は１５０㎝台《だい》の後半《こうはん》だから、小人《こびと》たちの身長《しんちょう》は人間《にんげん》のおよそ16分《ぶん》の１ということになる。すると、体《からだ》の横幅《よこはば》も厚《あつ》みも16分《ぶん》の１のはずなので、体重《たいじゅう》は16×16×16分《ぶん》の１で、４０９６分《ぶん》の１。14歳《さい》女子《じょし》の平均体重《へいきんたいじゅう》はおよそ50㎏だから、アリエッティの体重《たいじゅう》はたった12ｇということになる。これは軽《かる》い。12ｇって、小《ちい》さめの消《け》しゴムぐらいの重《おも》さだよ〜。

これほど小《ちい》さな体《からだ》だと、アリエッティは声《こえ》もムチャクチャ小《ちい》さいのではないだろうか。

声《こえ》の大《おお》きさは、肺《はい》から1秒《びょう》に出《だ》される空気《くうき》の量《りょう》によって決《き》まる。体重《たいじゅう》が人間《にんげん》の４０９６分《ぶん》の１のアリエッティの場合《ばあい》、肺《はい》の容積《ようせき》も４０９６分《ぶん》の１しかない。

だが、声《こえ》はそこまでは小《ちい》さくならない。体《からだ》が小《ちい》さければ、短《みじか》い時間《じかん》で息《いき》を吐《は》けるからだ。計算《けいさん》すると、アリエッティの声《こえ》の大《おお》きさは、人間《にんげん》の512分《ぶん》の1という結果《けっか》になった。

たった512分《ぶん》の1だと聞《き》こえないのでは？ と心配《しんぱい》になるが、実《じつ》は大丈夫《だいじょうぶ》だ。たとえば、ささやき声《ごえ》のエネルギーは、普通《ふつう》の会話《かいわ》で出《だ》す声《こえ》の1万分《まんぶん》の1。反対《はんたい》に、叫《さけ》び声《ごえ》は普通《ふつう》の会話《かいわ》の1万倍《まんばい》もある。声《こえ》というものは、もともとエネルギーに大《おお》きな幅《はば》があるのだ。

それらの差《さ》に比《くら》べれば「512」など、わずかである。つまり、人間《にんげん》に比《くら》べれば512分《ぶん》の1も小《ちい》さなアリエッティの声《こえ》も、小人《こびと》たちに比《くら》べれば512倍《ばい》も大《おお》きな翔《しょう》の声《こえ》も、お互《たが》いの耳《みみ》に何《なん》の問題《もんだい》もなく届《とど》いただろうと思《おも》われる。

◆アリエッティはキンキン声《ごえ》？

実《じつ》は、筆者《ひっしゃ》が注目《ちゅうもく》したいのは、アリエッティの声《こえ》の「高《たか》さ」である。

人間《にんげん》の声《こえ》は、次《つぎ》のようにして生《う》まれる。

①肺《はい》から出《で》た空気《くうき》が、のどの奥《おく》にある「声帯《せいたい》」という膜《まく》を震《ふる》わせて小《ちい》さな音《おと》を出《だ》す

②小《ちい》さな音《おと》が、のどや口《くち》や鼻《はな》の奥《おく》の空間《くうかん》で響《ひび》いて大《おお》きくなる

③口《くち》の形《かたち》、舌《した》、歯《は》を調節《ちょうせつ》して「あかさたな」などの声《こえ》にする

このうち②までは、ギターやバイオリンと共通《きょうつう》する。これらの弦楽器《げんがっき》の音《おと》は、弦《げん》から出《で》たときにはとても小《ちい》さく、その小《ちい》さな音《おと》が胴《どう》で響《ひび》いて大《おお》きくなるのだ。バイオリンの仲間《なかま》には、小《ちい》さいほうから順《じゅん》に、バイオリン、ビオラ、チェロ、コントラバスがあり、大《おお》きなものほど低《ひく》い音《おと》を、小《ちい》さなものほど高《たか》い音《おと》を出《だ》す。ここから考《かんが》えれば、小《ちい》さなアリエッティの口《くち》からは、普通《ふつう》サイズの人間《にんげん》よりも高《たか》い声《こえ》が出《で》るはずだ。

その声《こえ》は、具体的《ぐたいてき》にどのくらい高《たか》いのか？　楽器《がっき》の場合《ばあい》、サイズが半分《はんぶん》になると、出《で》る音《おと》が1オクターブ高《たか》くなる。この関係《かんけい》は、人間《にんげん》と小人《こびと》でも同《おな》じだろう。

アリエッティの身長《しんちょう》は、われわれの16分《ぶん》の1である。サイズが2分《ぶん》の1だと、声《こえ》は1オクターブ高《たか》くなる。その半分《はんぶん》の4分《ぶん》の1で2オクターブ高《たか》くなり、そのまた半分《はんぶん》の8分《ぶん》の1で3オクターブ高《たか》くなり、またまた半分《はんぶん》の16分《ぶん》の1で4オクターブ高《たか》くなる。つまりアリエッティの声《こえ》は、人間《にんげん》の14歳《さい》の少女《しょうじょ》より、4オクターブも高《たか》い！

これは、なかなかすごい声《こえ》である。ソプラノ歌手《かしゅ》でさえ、出《だ》せる声《こえ》の高《たか》さは、普通《ふつう》の女性《じょせい》と1オクターブ半《はん》しか違《ちが》わない。4オクターブも高《たか》いと、もはや人間離《にんげんばな》れした声《こえ》ということだ。ピアノのいちばん右《みぎ》の「ド」より高《たか》く、目覚《めざ》まし時計《どけい》などに使《つか》われる電子音《でんしおん》の高《たか》いものと同《おな》じ！

目覚《めざ》まし時計《どけい》の音《おと》があの高《たか》さに設定《せってい》されているのは、人間《にんげん》の耳《みみ》を強《つよ》く刺激《しげき》するからだ。おそら

くアリエッティの声《こえ》も、耳《みみ》が痛《いた》くなるようなキンキン声《ごえ》。彼女《かのじょ》にいきなり話《はな》しかけられたら、さぞビックリすることだろう。翔《しょう》くんは心臓《しんぞう》の手術《しゅじゅつ》を控《ひか》えているのだから、あまり驚《おどろ》かせてはいけません。

◆キョーレツに早口《はやくち》かも！

さらなる心配《しんぱい》として、アリエッティはとっても早口《はやくち》だった可《か》能性《のうせい》がある。

会話《かいわ》は、耳《みみ》・目《め》→神経《しんけい》→脳《のう》→神経《しんけい》→横隔膜《おうかくまく》→声帯《せいたい》→口《くち》・舌《した》・歯《は》などの連携《れんけい》プレーで行《おこな》われる。

身長《しんちょう》10㎝のアリエッティは、神経《しんけい》の長《なが》さも短《みじか》いだろう。脳《のう》も神経《しんけい》の集《あつ》まりだから、物事《ものごと》を考《かんが》え、言《こと》葉《ば》を組《く》み立《た》てて発音《はつおん》するまでの時間《じかん》も短《みじか》いはずだ。身長《しんちょう》が16分《ぶん》の1だと、それはどれほど速《はや》いのか。神経《しんけい》の情報《じょうほう》の伝《つた》わり方《かた》には、１本《ぽん》の神経《しんけい》を伝《つた》わる「伝導《でんどう》」と、神経《しんけい》から神経《しんけい》へ伝《つた》わる「伝達《でんたつ》」の２段階《だんかい》がある。伝導《でんどう》にかかる時間《じかん》は身長《しんちょう》と同《おな》じ16分《ぶん》の１。伝達《でんたつ》に要《よう》する時間《じかん》は「身長《しんちょう》×身長《しんちょう》」に比例《ひれい》する２５６分《ぶん》の１。この２つを総合《そうごう》すると、情報《じょうほう》が伝《つた》わる時間《じかん》は73分《ぶん》の１になる。情報伝《じょうほうでん》達速度《たつそくど》は人間《にんげん》のなんと73倍《ばい》！

　つまりアリエッティは、人間《にんげん》の73倍《ばい》も速《はや》く頭《あたま》が回転《かいてん》し、73倍《ばい》も早口《はやくち》だった可能性《かのうせい》がある。たとえば翔《しょう》が「いくつ？」と平仮名《ひらがな》３文字《もじ》の言葉《ことば》で話《はな》しかけると、それとまったく同《おな》じ１秒《びょう》ぐらいで「あたし明日《あす》で14歳《さい》。生《う》まれてから３回《かい》の閏年《うるうどし》があったから今日《きょう》まで５１１３日《にち》生《い》きてきたのね。ああ短《みじか》いようで長《なが》かったあたしの４億《おく》４１７６万《まん》３２００秒《びょう》。１秒《びょう》たりともおろそかにするなって言葉《ことば》があるけどそんなに緊張《きんちょう》した１秒《びょう》を４億《おく》４１７６万《まん》３２００回《かい》も送《おく》れないわ。１秒《びょう》もおろそかにできないと考《かんが》えるのに３秒《びょう》ほどかかるわけでそれこそ最大《さいだい》のムダよ」と平仮名《ひらがな》にして２１９文字《もじ》くらい喋《しゃべ》ることになる。ひえ〜。

　アリエッティの声《こえ》は、大《おお》きさは気《き》にならないが、モーレツに高音《こうおん》で、キョーレツに早口《はやくち》かも……ということです。こんなヒトときちんと会話《かいわ》できる翔《しょう》くんはエラいなあ。

とっても気《き》になる特撮《とくさつ》の疑問《ぎもん》

怪獣《かいじゅう》を爆殺《ばくさつ》するスペシウム光線《こうせん》。いったいどういう原理《げんり》なのでしょう？

スペシウム光線《こうせん》。あまりにも有名《ゆうめい》なウルトラマンの必殺技《ひっさつわざ》である。腕《うで》を十字《じゅうじ》に組《く》むと、立《た》てた右手《みぎて》から青白《あおじろ》い光線《こうせん》が発射《はっしゃ》され、怪獣《かいじゅう》を一撃《いちげき》で倒《たお》す。

この技《わざ》を初《はじ》めて見《み》たとき、当時《とうじ》5歳《さい》だった筆者《ひっしゃ》は、あまりのかっこよさに頭《あたま》がクラクラしたものだ。ピストルなどの道具《どうぐ》を使《つか》わず、構《かま》えただけで腕《うで》から光線《こうせん》が出《で》る。しかも怪獣《かいじゅう》に当《あ》たったら、どかーんと爆発《ばくはつ》するのだから。

スペシウム光線《こうせん》のインパクトがあまりに大《おお》きかったためか、後発《こうはつ》のヒーローたちも、何《なん》の説明《せつめい》もなく腕《うで》からどんどん光線《こうせん》を出《だ》すようになった。それを、われわれ視聴者《しちょうしゃ》も歓迎《かんげい》してきた。

しかし、考《かんが》えてみると謎《なぞ》めいた光線《こうせん》である。なぜ生物《せいぶつ》の手《て》から光《ひかり》が放《はな》たれるのか？　なぜ怪獣《かいじゅう》が爆発《ばくはつ》するのか？　実《じつ》に不可解《ふかかい》な現象《げんしょう》ではないか。

はたして、スペシウム光線《こうせん》とは何《なん》なのだろう？　本稿《ほんこう》では科学的《かがくてき》に考《かんが》えてみたい。

◆スペシウムとは何《なん》なのか？

ウルトラマンは、手《て》から光線《こうせん》を発射《はっしゃ》する。実《じつ》にこのヒトらしいウルトラな行為《こうい》に思《おも》えるが、自《し》然界《ぜんかい》に目《め》を向《む》けると、ホタルやオワンクラゲなど、体《からだ》から光《ひかり》を放《はな》つ生物《せいぶつ》は意外《いがい》に多《おお》い。彼《かれ》らは、体内《たいない》のエネルギーを光《ひかり》に変《か》える仕《し》組《く》みを持《も》っているのだ。ウルトラマンの体《からだ》にも、同《おな》じような仕《し》組《く》みが備《そな》わっているとすれば、体《からだ》から光《ひかり》を出《だ》すこと自体《じたい》は不思議《ふしぎ》ではない。

だが、自然界《しぜんかい》の発光生物《はっこうせいぶつ》たちが出《だ》す光《ひかり》は、異性《いせい》を誘引《ゆういん》したり、餌《えさ》をおびき寄《よ》せたりするためのものだ。ウルトラマンが女子《じょし》ウケを狙《ねら》ってスペシウム光線《こうせん》を発射《はっしゃ》しているとは思《おも》えないし、明《あき》らかに攻撃手段《こうげきしゅだん》として用《もち》いているから、これは珍《めずら》しい例《れい》といえるだろう。

光《ひかり》に限《かぎ》らなければ、体《からだ》から何《なに》かを放《はな》って敵《てき》を攻撃《こうげき》する生物《せいぶつ》も、数多《かずおお》い。

デンキウナギは、体《からだ》から電気《でんき》を放《はな》って、餌《えさ》となる魚《さかな》を感電《かんでん》させる。その電圧《でんあつ》は家庭用電源《かていようでんげん》の10
0V《ボルト》をはるかにしのぐ800V《ボルト》。人《ひと》や馬《うま》でさえも感電死《かんでんし》することがある。

スカンクやイタチは、肛門《こうもん》から、猛烈《もうれつ》な悪臭《あくしゅう》のする粘液《ねんえき》を発射《はっしゃ》する。よく「最後《さいご》っ屁《ぺ》」といわれるが、ガスではないので、屁《へ》とはいえない。これを浴《あ》びた動物《どうぶつ》は、悪臭《あくしゅう》に苦《くる》しむだけでなく視力《しりょく》を失《うしな》うという。

また、サバクツノトカゲは、他《ほか》の動物《どうぶつ》には毒《どく》となる血液《けつえき》を、場所《ばしょ》もあろうに、目《め》から発射《はっしゃ》！　射程《しゃてい》は4〜5m、匂《にお》いが広《ひろ》がる範囲《はんい》は、なんと半径《はんけい》2㎞！

このように考《かんが》えれば、ウルトラマンが腕《うで》から放《はな》つモノも、実《じつ》は光《ひかり》ではないのでは……という気《き》にもなってくる。体長《たいちょう》は6〜12㎝なのに、射程《しゃてい》は1mにも及《およ》ぶ。

そもそも「スペシウム」とは何《なん》なのか？

ひょっとして、元素《げんそ》の一《ひと》つではないだろうか。元素《げんそ》とは、すべての物質《ぶっしつ》の元《もと》になっている物質《ぶっしつ》で、たとえば水《みず》は「水素《すいそ》」と「酸素《さんそ》」の2種類《しゅるい》の元素《げんそ》からできている。「鉄《てつ》」や「金《きん》」のように、1種類《しゅるい》の元素《げんそ》からできているものもある。筆者《ひっしゃ》が「スペシウムは元素《げんそ》ではないか」と思《おも》うのは、元素《げんそ》の名前《なまえ》には、「ナトリウム」や「カルシウム」や「アルミニウム」のように、名前《なまえ》の語尾《ごび》に「イウム」がつくことが多《おお》いからだ。

元素《げんそ》の種類《しゅるい》は、なかに含《ふく》まれている「陽子《ようし》」という小《ちい》さな粒《つぶ》の数《かず》によって決《き》まっている。自然《しぜん》界《かい》に存在《そんざい》するのは、陽子数《ようしすう》1個《こ》の水素《すいそ》から陽子数《ようしすう》92個《こ》のウランまでのなかで、2種類《しゅるい》を除《のぞ》くわずか90種類《しゅるい》。むろん、このなかに「スペシウム」はない。これより陽子数《ようしすう》の多《おお》い元素《げんそ》も、人工的《じんこうてき》に作《つく》られており、今《いま》のところ陽子《ようし》数百十数個《すうひゃくじゅうすうこ》のものまでは見《み》つかっている。したがって「スペシウム」が未知《みち》の元素《げんそ》であるとすれば、陽子数《ようしすう》がそれ以上《いじょう》の重《おも》い元素《げんそ》ということになる。

この点《てん》は重要《じゅうよう》だ。重《おも》い元素《げんそ》は、一般《いっぱん》に寿命《じゅみょう》が短《みじか》い。不安定《ふあんてい》なため、勝手《かって》に分裂《ぶんれつ》してしまうのだ。なかには30分《ぷん》もつものもあるが、千分《せんぶん》の1秒《びょう》で分裂《ぶんれつ》するものもある。元素《げんそ》が分裂《ぶんれつ》すると、生物《せいぶつ》に有害《ゆうがい》な放射線《ほうしゃせん》が発生《はっせい》する。当然《とうぜん》スペシウムも、長《なが》く体内《たいない》に入《い》れておくのは危険《きけん》である。あ、そうか。だからウルトラマンは3分間《ぷんかん》しか戦《たたか》えないのか〜。

◆原理《げんり》は、電子《でんし》レンジと同《おな》じ!?

などと妙《みょう》にナットクできる面《めん》もあるが、スペシウム光線《こうせん》が重《おも》い元素《げんそ》を飛《と》ばしているとしたら、発射《はっしゃ》するたびに放射線《ほうしゃせん》がまき散《ち》らされることになる。それはとっても困《こま》るので、やはり「光線《こうせん》」と考《かんが》えて正体《しょうたい》を探《さぐ》ろう。この場合《ばあい》、注目《ちゅうもく》したいのは「当《あ》たった怪獣《かいじゅう》は爆発《ばくはつ》すること」だ。

光《ひかり》のなかにも、物質《ぶっしつ》を破壊《はかい》できるものはある。光《ひかり》の波《なみ》の山《やま》と山《やま》、谷《たに》と谷《たに》を揃《そろ》えて発振《はっしん》するレーザーだ。目《め》に見《み》える可視光《かしこう》レーザーは、出力《しゅつりょく》が高《たか》ければ、生物《せいぶつ》の体《からだ》を焼《や》き焦《こ》がす。目《め》に見《み》えない赤外線《せきがいせん》レーザーは、金属《きんぞく》や岩石《がんせき》さえも切断《せつだん》し、さまざまな工業加工《こうぎょうかこう》に使《つか》われている。

ただし、レーザーの効果《こうか》は、狭《せま》い面積《めんせき》にエネルギーを集中《しゅうちゅう》させて、溶《と》かしたり焼《や》き切《き》ったりすること。爆発《ばくはつ》させちゃったら、とても加工《かこう》には使《つか》えない。つまり、どんなに強《つよ》いレーザーを当《あ》てても、普通《ふつう》は爆発《ばくはつ》など起《お》こらないのである。

筆者《ひっしゃ》が注目《ちゅうもく》したいのはマイクロ波《は》だ。マイクロ波《は》とは電波《でんぱ》の一種《いっしゅ》で、電子《でんし》レンジもこれを出《だ》している。食《た》べものの大半《たいはん》は水分《すいぶん》を含《ふく》んでおり、マイクロ波《は》は水《みず》に吸収《きゅうしゅう》されて熱《ねつ》に変《か》わる。だから、電子《でんし》レンジは食《た》べ物《もの》を加熱《かねつ》できるんですね。

だが、電子《でんし》レンジで生卵《なまたまご》を加熱《かねつ》すると爆発《ばくはつ》する。電子《でんし》レンジ以外《いがい》でも、サンマを焼《や》くと、皮《かわ》が膨《ふく》らんで破裂《はれつ》するし、ポップコーンもある種《しゅ》のトウモロコシに熱《ねつ》を加《くわ》えて、破裂《はれつ》させたものだ。

これらの現象《げんしょう》に共通点《きょうつうてん》するのは、硬《かた》い殻《から》や皮《かわ》のなかで、水分《すいぶん》が熱《ねつ》を受《う》けて水蒸気《すいじょうき》になると、限《げん》界《かい》を超《こ》えた瞬間《しゅんかん》に、殻《から》や皮《かわ》を破《やぶ》って、一気《いっき》に急膨張《きゅうぼうちょう》するということだ。

怪獣《かいじゅう》の体《からだ》は、厚《あつ》い皮膚《ひふ》に覆《おお》われている。すると、体《からだ》のなかでスペシウム光線《こうせん》が水分《すいぶん》を蒸発《じょうはつ》させれば、水蒸気《すいじょうき》の圧力《あつりょく》で爆発《ばくはつ》することもあるのではないだろうか。

◆科学特捜隊《かがくとくそうたい》の人々《ひとびと》がキケン！

スペシウム光線《こうせん》にマイクロ波《は》が含《ふく》まれるとしたら、それはどれほどの威力《いりょく》なのか。

『週刊《しゅうかん》 ウルトラマン オフィシャルデータファイル』(デアゴスティーニ)第《だい》9号《ごう》によれば、スペシウム光線《こうせん》は「50万《まん》℃の高熱《こうねつ》を発《はっ》する」という。50万《まん》℃！　これは、ありとあらゆる物質《ぶっしつ》が蒸発《じょうはつ》する温度《おんど》だ。つまり、怪獣《かいじゅう》の体《からだ》は、スペシウム光線《こうせん》を浴《あ》びた部分《ぶぶん》だけが、ジュワッと消滅《しょうめつ》！

いやいや、消滅《しょうめつ》させてはいかん。スペシウム光線《こうせん》は、劇中《げきちゅう》で怪獣《かいじゅう》を爆発《ばくはつ》させているのだ。

だがこの問題《もんだい》も、スペシウム光線《こうせん》がマイクロ波《は》だとしたら、解決《かいけつ》できる。マイクロ波《は》は水《みず》に吸収《きゅうしゅう》され、金属《きんぞく》で反射《はんしゃ》される以外《いがい》、たいていの物質《ぶっしつ》を通《とお》り抜《ぬ》けるからだ。おそらくスペシウム光線《こうせん》は、怪獣《かいじゅう》の皮膚《ひふ》を通《とお》り抜《ぬ》けて、体内《たいない》で水分《すいぶん》を蒸発《じょうはつ》させたうえに、50万《まん》℃に加熱《かねつ》するのだろう。水《みず》をこんな高温《こうおん》にすると、体積《たいせき》は２３０万倍《まんばい》にまで増大《ぞうだい》する。これは、怪獣《かいじゅう》も爆発《ばくはつ》するのでは!?

爆発《ばくはつ》するかどうかは、蒸発《じょうはつ》&加熱《かねつ》する水《みず》の量《りょう》による。身長《しんちょう》40ｍのウルトラマンの手《て》の大《おお》きさから計算《けいさん》すると、スペシウム光線《こうせん》が怪獣《かいじゅう》の体内《たいない》に１ｍ入《はい》り込《こ》んだだけで９００Ｌ《リットル》の水《みず》が蒸発《じょうはつ》する。たった９００Ｌ《リットル》？　などと思《おも》ってはいけない。これが50万《まん》℃に加熱《かねつ》され、体積《たいせき》が２３０万倍《まんばい》になると、直径《ちょっけい》１６０ｍの球《たま》になるのだ。怪獣《かいじゅう》たちの身長《しんちょう》は50ｍ前後《ぜんご》だから、間違《まちが》いなく爆発《ばくはつ》してバラバラに！

スゴイ威力《いりょく》ですな〜、などと喜《よろこ》んでもいられない。50万《まん》℃に加熱《かねつ》された物質《ぶっしつ》からは、強力《きょうりょく》な紫外線《しがいせん》が出《で》る。いつも怪獣《かいじゅう》の近《ちか》くにいる科学特捜隊《かがくとくそうたい》の隊員《たいいん》たちは、めちゃくちゃ日焼《ひや》けする！　日焼《ひや》けで済《す》めば、まだ幸《しあわ》せだ。前述《ぜんじゅつ》したように、マイクロ波《は》は金属《きんぞく》で反射《はんしゃ》される。怪獣《かいじゅう》のなか

には、スペシウム光線《こうせん》が効《き》かない連中《れんちゅう》もいたが、彼《かれ》らの皮膚《ひふ》には金属《きんぞく》が含《ふく》まれていたのかもしれない。そのような怪獣《かいじゅう》たちに当《あ》たったスペシウム光線《こうせん》は、どうなるのか。当然《とうぜん》、跳《は》ね返《かえ》されて周囲《しゅうい》に広《ひろ》がる。隊員《たいいん》たちは電《でん》子《し》レンジに入《い》れられたように、ホカホカ煮《に》え上《あ》がる。命《いのち》があるかなあ……。

ウルトラマンが腕《うで》を十字《じゅうじ》に組《く》んだら、科学特捜隊《かがくとくそうたい》の人々《ひとびと》はとっとと避難《ひなん》いたしましょう。

とっても気《き》になるアニメの疑問《ぎもん》

『ゲッターロボ』はマシンが空中《くうちゅう》で合体《がったい》しますが、操縦者《そうじゅうしゃ》は無事《ぶじ》でしょうか？

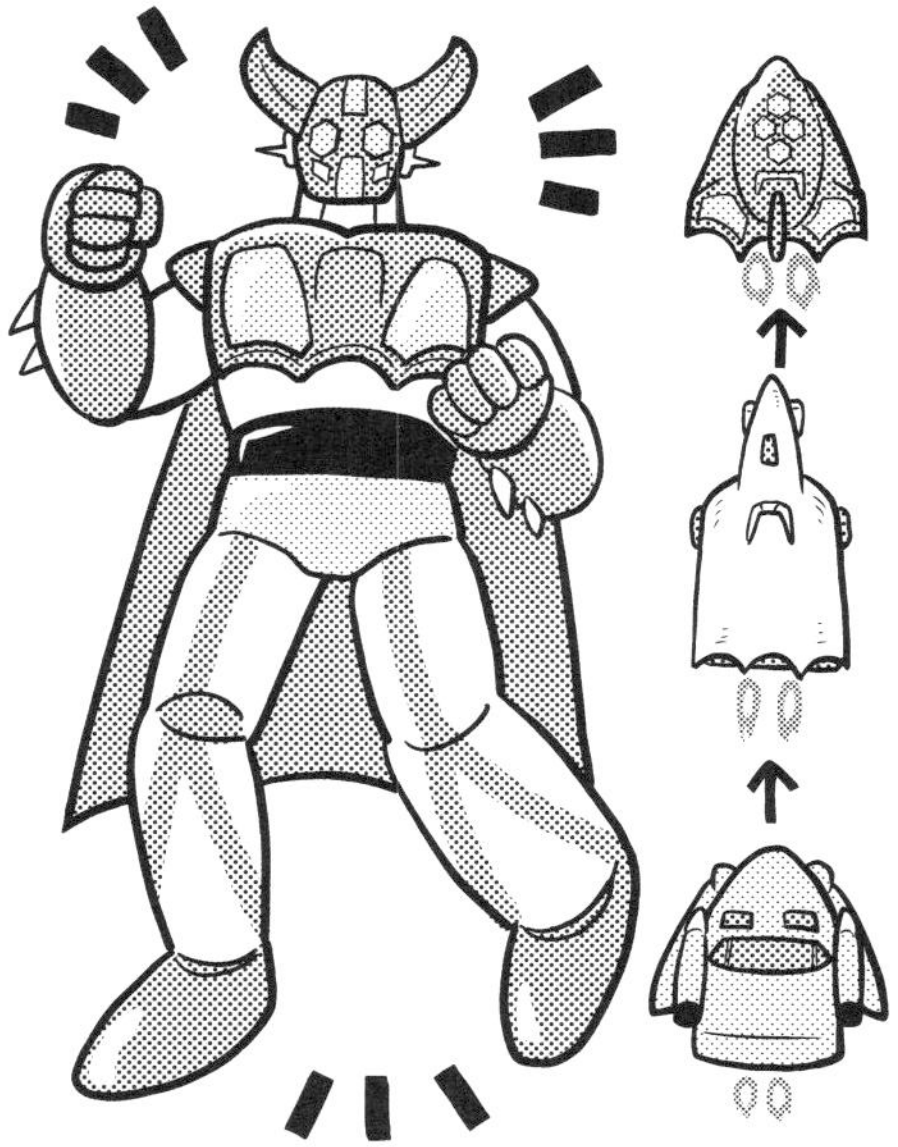

敵《てき》の襲来《しゅうらい》を受《う》けて、数機《すうき》のマシンが発進《はっしん》。現場《げんば》に到着《とうちゃく》するや、空中《くうちゅう》で合体《がったい》して巨大《きょだい》なロボットに！ いや～、合体《がったい》ロボは、かっこいいなあ。

その元祖《がんそ》は、１９７４年《ねん》にアニメが放映《ほうえい》された『ゲッターロボ』である。３機《き》のゲットマシンが、３通《とお》りに合体《がったい》して、３種《しゅ》のロボットに変形《へんけい》する！

この作品《さくひん》によって「ロボットは空中《くうちゅう》で合体《がったい》するもの」というイメージが生《う》まれ、『超電磁《ちょうでんじ》ロボ コン・バトラーＶ《ブイ》』『超電磁《ちょうでんじ》マシーン ボルテスＶ《ファイブ》』など、続々《ぞくぞく》と合体《がったい》ロボが登場《とうじょう》していった。合《がっ》体《たい》するマシンの数《かず》も増《ふ》え、なかには「36身合体《しんがったい》」という悪役《あくやく》ロボットまで現《あらわ》れたが、さすがにやりすぎで、その後《ご》は落《お》ち着《つ》いて5機《き》くらいの合体《がったい》に戻《もど》り、現在《げんざい》ではスーパー戦隊《せんたい》シリーズに受《う》け継《つ》がれている。

しかし、冷静《れいせい》に考《かんが》えると、飛行中《ひこうちゅう》のマシンが空中《くうちゅう》で合体《がったい》するとは、乱暴《らんぼう》な話《はなし》である。レール上《じょう》で行《おこな》う列車《れっしゃ》の連結《れんけつ》でさえ、1分《ぷん》ほどかけて慎重《しんちょう》に行《おこな》われるのに、空《そら》を飛《と》びながらガシンガシン合《がっ》体《たい》しちゃって大丈夫《だいじょうぶ》なのか？

何《なに》より、乗《の》っている操縦者《そうじゅうしゃ》が心配《しんぱい》である。本稿《ほんこう》では、元祖《がんそ》『ゲッターロボ』を題材《だいざい》に、合体《がったい》の際《さい》に操縦者《そうじゅうしゃ》がどれだけの衝撃《しょうげき》を受《う》けるかを考《かんが》えよう。

◆合体《がったい》すると、重量《じゅうりょう》が変《か》わる!?

ゲッターロボは、3機《き》のゲットマシンが合体《がったい》・変形《へんけい》することで出現《しゅつげん》する。ゲットマシンには、イーグル号《ごう》、ジャガー号《ごう》、ベアー号《ごう》という立派《りっぱ》な名前《なまえ》があるのだが、わかりやすさを優先《ゆうせん》して、ここでは1号《ごう》、2号《ごう》、3号《ごう》と呼称《こしょう》させていただきたい。

この3機《き》が3つのパターンで合体《がったい》し、3種《しゅ》のゲッターロボになる。組《く》み合《あ》わせは、こうだ。

前《まえ》から1号《ごう》、2号《ごう》、3号《ごう》の順《じゅん》に合体《がったい》すると、マッハ2で空《そら》を飛《と》ぶゲッター1《ワン》に！

2号《ごう》、3号《ごう》、1号《ごう》の順《じゅん》で合体《がったい》すると、地上《ちじょう》をマッハ3で走《はし》り、地中《ちちゅう》を時速《じそく》180㎞で掘《ほ》り進《すす》むゲッター2《ツー》に！

そして、水平《すいへい》に飛《と》ぶ2号《ごう》の天井《てんじょう》に、1号《ごう》が垂直《すいちょく》に突《つ》き刺《さ》さり、その後《うし》ろから3号《ごう》が合体《がったい》すると、足《あし》がキャタピラのゲッター3《スリー》に！

う〜む。バラエティに富《と》んでいるなあ。そのバラエティ重視《じゅうし》の精神《せいしん》は、各《かく》ゲッターロボのスペックにも表《あらわ》れている。『スーパーロボット画報《がほう》』(竹書房《たけしょぼう》)によれば、

ゲッター1《ワン》……全高《ぜんこう》38m、重量《じゅうりょう》220t
ゲッター2《ツー》……全高《ぜんこう》38m、重量《じゅうりょう》200t
ゲッター3《スリー》……全高《ぜんこう》20m、重量《じゅうりょう》250t

なんと、同《おな》じゲットマシンが合体《がったい》したのに、重量《じゅうりょう》がバラバラである！ ゲットマシンの重量《じゅうりょう》は、1号《ごう》と2号《ごう》が80t、3号《ごう》が90tだから、合計《ごうけい》250tになるはず。しかし、計算《けいさん》が合《あ》っているのはゲッター3《スリー》だけで、他《ほか》の2機《き》は軽《かる》くなっている！

物《もの》の重《おも》さは、置《お》き方《かた》や形《かたち》を変《か》えても、いくつに分《わ》けても、一《ひと》つにまとめても変《か》わらない。この科学《かがく》の基礎《きそ》ともいうべき大切《たいせつ》な法則《ほうそく》は、小学《しょうがく》3年《ねん》の理科《りか》で習《なら》うのに、いったいどういうコト!?

それは、わしらゲッターファンにとっても、永遠《えいえん》のナゾである。本稿《ほんこう》のテーマは合体《がったい》の衝撃《しょうげき》でもあることだし、今《いま》はそっと胸《むね》にしまわせていただきたい。

◆追突事故《ついとつじこ》とほぼ同《おな》じ！

では、その合体《がったい》の衝撃《しょうげき》はどれほどか。『ゲッターロボ』を代表《だいひょう》するゲッター１《ワン》について考《かんが》えてみよう。

操縦者《そうじゅうしゃ》が受《う》ける衝撃《しょうげき》は、マシンの重量《じゅうりょう》と、互《たが》いに接近《せっきん》する速度《そくど》で決《き》まる。

ゲットマシンの最大速度《さいだいそくど》は３機《き》ともマッハ０・９＝時速《じそく》１１００㎞。そんなスピードで合体《がったい》しちゃって大丈夫《だいじょうぶ》!?　と心配《しんぱい》になるが、重要《じゅうよう》なのは合体《がったい》するマシン同士《どうし》の「速度差《そくどさ》」だ。

国際宇宙《こくさいうちゅう》ステーション（ＩＳＳ《アイエスエス》）と、物資《ぶっし》を運《はこ》ぶ「こうのとり」のドッキングも、広《ひろ》い意味《いみ》での空中合体《くうちゅうがったい》といえるだろう。ドッキングするとき、両者《りょうしゃ》は時速《じそく》２万《まん》７６００㎞＝マッハ22・６で飛《と》んでいる。それでも安全《あんぜん》にドッキングできるのは、両者《りょうしゃ》の速度差《そくどさ》がわずかだからだ。

ＪＡＸＡ《ジャクサ》の発表《はっぴょう》によれば、その速度差《そくどさ》は1分《ぷん》に1～10ｍ。計算《けいさん》すると、時速《じそく》０・０６～０・６㎞だ。ともに超高速《ちょうこうそく》で飛《と》んでいても、ＩＳＳ《アイエスエス》から見《み》ると、こうのとりは、この速度《そくど》でゆっくり接《せっ》近《きん》してくる。

ゲットマシンの合体《がったい》でも、たとえマッハ０・９で飛《と》んでいようと、互《たが》いの速度差《そくどさ》さえ小《ちい》さければ、安全《あんぜん》に合体《がったい》できることになる。では、ゲッター１《ワン》に合体《がったい》するときの速度差《そくどさ》はどれほどか？

アニメの画面《がめん》で確認《かくにん》してみよう。

1号《ごう》を操縦《そうじゅう》する流竜馬《ながれりょうま》が「チェンジ、ゲッター1《ワン》、スイッチオン！」と叫《さけ》んで、レバーを引《ひ》くと……え？「スイッチオン！」と言《い》いながらレバーを？

いや、これも胸《むね》にしまって話《はなし》を進《すす》めれば、レバーを引《ひ》くと、2号《ごう》の背後《はいご》から3号《ごう》が合体《がったい》する。画面上《がめんじょう》で2号《ごう》は静止《せいし》しているように描《か》かれているから、画面《がめん》で描写《びょうしゃ》された3号《ごう》の速度《そくど》が両機《りょうき》の「速度差《そくどさ》」ということになる。

測定《そくてい》すると、3号《ごう》は自分《じぶん》の機体《きたい》の長《なが》さだけ動《うご》くのに0・5秒《びょう》かかっている。3号《ごう》の全長《ぜんちょう》は12mだから、速度《そくど》の差《さ》は秒速《びょうそく》24m＝時速《じそく》86km！

ええっ、そんなに大《おお》きな速度差《そくどさ》があるの!?　2号《ごう》を操縦《そうじゅう》する神隼人《じんはやと》は、信号待《しんごうま》ちで停車《ていしゃ》しているところに、後《うし》ろから時速《じそく》86kmで追突《ついとつ》されたのと同《おな》じ衝撃《しょうげき》を受《う》けるということだ！　むち打《う》ち症《しょう》にならないか、モノスゴク心配《しんぱい》です。

◆誰《だれ》がいちばん大変《たいへん》だろう？

一連《いちれん》の合体《がったい》のなかで、いちばん大《おお》きなダメージを受《う》けるのは、誰《だれ》だろう？

問題《もんだい》になるのはマシンの重量《じゅうりょう》だ。最初《さいしょ》に合体《がったい》する2機《き》のうち、隼人《はやと》が操《あやつ》る2号《ごう》は80t、巴武蔵《ともえむさし》の乗《の》る3号《ごう》は90t。

みんな3号機《ごうき》に乗《の》りたい。

乗《の》り物《もの》の衝突《しょうとつ》では、重量《じゅうりょう》の軽《かる》いほうが大《おお》きな衝撃《しょうげき》を受《う》けるから、隼人《はやと》のほうがダメージは大《おお》きい。2機《き》のゲットマシンが接《せっ》触《しょく》してから、さらに1m動《うご》いて合体《がったい》が完了《かんりょう》するとしたら、武蔵《むさし》の受《う》けた衝撃《しょうげき》は重力《じゅうりょく》の6・5倍《ばい》、すなわち6・5G《ジー》であり、隼人《はやと》が受《う》ける衝撃《しょうげき》は7・3G《ジー》だ。

1号《ごう》の竜馬《りょうま》は、もっと大変《たいへん》だ。合体《がったい》して170tになった2号《ごう》+3号《ごう》が追突《ついとつ》してくるのだから!

ロボットの合体《がったい》では、合体《がったい》するにつれてパーツはどんどん重《おも》くなるから、後《あと》で参加《さんか》する人《ひと》ほど、合体時《がったいじ》に受《う》ける衝撃《しょうげき》は大《おお》きくなるわけだ。

竜馬《りょうま》の場合《ばあい》、受《う》ける衝撃《しょうげき》は9・4G《ジー》！　人間《にんげん》は10G《ジー》以上《いじょう》の衝撃《しょうげき》で失神《しっしん》するといわれるから、竜《りょう》馬《ま》は合体《がったい》によって、失神寸前《しっしんすんぜん》のダメージを受《う》けるだろう。マッハ0・9で飛《と》んでいるマシンの中《なか》で、操縦者《そうじゅうしゃ》が失神《しっしん》するなど、考《かんが》えただけで怖《こわ》すぎる！

この合体《がったい》でも、隼人《はやと》と武蔵《むさし》はダメージを受《う》ける。ロボットの合体《がったい》においては、先《さき》に合体《がったい》した連《れん》中《ちゅう》は、何度《なんど》もダメージを受《う》けるのだ。それでも、隼人《はやと》と武蔵《むさし》が1号《ごう》との合体《がったい》で受《う》ける衝撃《しょうげき》は4・4G《ジー》。竜馬《りょうま》に比《くら》べれば半分以下《はんぶんいか》にすぎない。

う〜む、小《ちい》さなダメージを何度《なんど》も受《う》けるほうがいいのか、大《おお》きなダメージを一度《いちど》で済《す》ませるほうがいいのか。

悩《なや》ましい問題《もんだい》であり、その人《ひと》の人生観次第《じんせいかんしだい》という気《き》もするが、衝撃《しょうげき》というものは、ある限界《げんかい》を超《こ》えると、失神《しっしん》や骨折《こっせつ》など、決定的《けっていてき》なダメージを生《う》む。それを思《おも》えば、回数《かいすう》は多《おお》くても、最大《さいだい》の衝撃《しょうげき》が小《ちい》さいほうがいいのかも……。

こう考《かんが》えると、合体《がったい》ロボの操縦者《そうじゅうしゃ》の処世術《しょせいじゅつ》が見《み》えてくる。なるべく重《おも》いマシンに乗《の》り、早《はや》めに合体《がったい》すべし！　世界《せかい》の平和《へいわ》と身《み》の安全《あんぜん》のためにも、どうかうまく世《よ》を渡《わた》っていただきたい。

とっても気《き》になるマンガの疑問《ぎもん》

『とどろけ！一番《いちばん》』で、主人公《しゅじんこう》が逆立《さかだ》ちしてテストを受《う》けていました。それ、効果《こうか》ありますか？

「マンガばかり読《よ》んでないで、勉強《べんきょう》しなさい！」と叱《しか》られるのは、昔《むかし》もいまも変《か》わらないと思《おも》うけど、1980年代《ねんだい》に描《か》かれた『とどろけ！一番《いちばん》』は「受験勉強《じゅけんべんきょう》」を扱《あつか》ったマンガだった。このマンガなら、読《よ》んでも叱《しか》られない……かなあ？

この作品《さくひん》のキャッチフレーズは「痛快受験《つうかいじゅけん》マンガ」。大日本進学塾《だいにっぽんしんがくじゅく》に通《かよ》う小学生《しょうがくせい》・轟一番《とどろきいちばん》が、ライバル・常仁勝《つねにまさる》らと激闘《げきとう》しながら、難関校《なんかんこう》・開布中学《かいふちゅうがく》の受験《じゅけん》に挑《いど》むというお話《はなし》だ。

ただし、机《つくえ》に向《む》かって黙々《もくもく》と勉強《べんきょう》する……といった話《はなし》ではない。それどころか、主人公《しゅじんこう》の一番《いちばん》が勉強《べんきょう》らしい勉強《べんきょう》をしているシーンはほとんど登場《とうじょう》しない。では彼《かれ》は何《なに》をしているかというと、ひたすら受験《じゅけん》を勝《か》ち抜《ぬ》くための「秘技《ひぎ》」の特訓《とっくん》に明《あ》け暮《く》れているのだ！

ここで「受験《じゅけん》に秘技《ひぎ》があるの？」と眉《まゆ》をひそめたあなたは正《ただ》しい。「受験《じゅけん》に秘技《ひぎ》があるのか！」と期待《きたい》したキミは、心《こころ》してこの原稿《げんこう》を読《よ》みましょー。

◆勉強《べんきょう》よりも、まず特訓《とっくん》！

一番《いちばん》は「1」と書《か》いたハチマキを締《し》めて、そこに鉛筆《えんぴつ》を3本《ぼん》挿《さ》している。その鉛筆《えんぴつ》こそ「書《か》いても書《か》いても磨《す》り減《へ》らない」といわれる幻《まぼろし》の鉛筆《えんぴつ》「四菱《よつびし》ハイユニ」だ。また、一番《いちばん》は数々《かずかず》の秘《ひ》技《ぎ》を身《み》につけていることから、中学受験界《ちゅうがくじゅけんかい》でも有名《ゆうめい》な存在《そんざい》になっているらしい。

一番《いちばん》が最初《さいしょ》に披露《ひろう》した秘技《ひぎ》は、右目《みぎめ》と左目《ひだりめ》で別々《べつべつ》の文章《ぶんしょう》を読《よ》むという技《わざ》で、その名《な》も「秘技《ひぎ》答案二枚返《とうあんにまいがえ》し」。これができると、たとえばテストの問題文《もんだいぶん》と設問《せつもん》を同時《どうじ》に読《よ》んで、効率《こうりつ》よく答《こた》えていくことができるという！

その技《わざ》を目《ま》の当《あ》たりにしたのは、ライバル・常仁勝《つねにまさる》。この小学生《しょうがくせい》は「受験界《じゅけんかい》の貴公子《きこうし》」の異名《いみょう》を持《も》っているのだが（なんだ、そりゃ!?）、彼《かれ》は驚《おどろ》きながらこう言《い》う。「こ……、この技《わざ》だと、どんな問題《もんだい》でも2分《ふん》35秒早《びょうはや》くできるといわれている」。なんで2分《ふん》35秒《びょう》って決《き》まってんの!?

それだけではない。続《つづ》いて一番《いちばん》が見《み》せた「秘技《ひぎ》パートⅡ《ツー》消《き》える魔《ま》しんゴッドハンド」は、答《とう》案用紙《あんようし》に書《か》き込《こ》む指先《ゆびさき》が見《み》えない！　立《た》ち会《あ》っていた大日本進学塾塾長《だいにっぽんしんがくじゅくじゅくちょう》の多田元春《ただがんばる》は「なんということだ……、あまりのスピードのために手《て》が消《き》えたように見《み》えるのだ。こ……、これこそ伝統《でんとう》ある武道《ぶどう》　居合抜《いあいぬ》きの原理《げんり》!!」。居合《いあ》い抜《ぬ》きは抜刀術《ばっとうじゅつ》とも呼《よ》ばれ、その真髄《しんずい》は刀《かたな》を鞘《さや》から抜《ぬ》くと同《どう》時《じ》に斬《き》ることだ。塾長《じゅくちょう》、鉛筆《えんぴつ》に鞘《さや》はありません！

　これらの技《わざ》を会得《えとく》するために、一番《いちばん》はただならぬ情熱《じょうねつ》を傾《かたむ》けていた。両手《りょうて》に鉛筆《えんぴつ》を持《も》って腕立《うでた》て伏《ふ》せに励《はげ》み、時速《じそく》１３０㎞で振《ふ》り子運動《こうんどう》する２つの鉄球《てっきゅう》に書《か》かれた文字《もじ》を、左右《さゆう》の目《め》で別々《べつべつ》に読《よ》み取《と》り……って、ホントに勉強《べんきょう》しないいんだな、一番《いちばん》は！

　また、一番《いちばん》は勉強道具《べんきょうどうぐ》の開発《かいはつ》にも情熱《じょうねつ》を注《そそ》いでいた。前述《ぜんじゅつ》の幻《まぼろし》の鉛筆《えんぴつ》「四菱《よつびし》ハイユニ」も、自分《じぶん》で作《つく》ったものだ。その磨《す》り減《へ》らない芯《しん》には、特殊強化鋼《とくしゅきょうかこう》と液体鉛《えきたいなまり》が含《ふく》まれていて、完成《かんせい》すると１ｍほどの長《なが》さになる。これを刀《かたな》のように振《ふ》ると、巻《ま》きワラが斬《き》れる。

　これは大変《たいへん》なことである。巻《ま》きワラが斬《き》れるということは、日本刀《にほんとう》と同《おな》じ強度《きょうど》および切《き》れ味《あじ》を持《も》っているのだろう。強度《きょうど》の面《めん》だけ考《かんが》えても、鉛筆《えんぴつ》の芯《しん》の太《ふと》さで日本刀《にほんとう》と同《おな》じとなると、鋼鉄《こうてつ》の３２０倍《ばい》も強靭《きょうじん》なことになる。

　現在《げんざい》、最強《さいきょう》の物質《ぶっしつ》であるカーボン繊維《せんい》でも、強度《きょうど》は鋼鉄《こうてつ》の３倍《ばい》くらいだというのに。こんな物《ぶっ》質《しつ》を開発《かいはつ》できるのなら、受験《じゅけん》なんてしなくても、超一流《ちょういちりゅう》の技術者《ぎじゅつしゃ》として世界《せかい》で活躍《かつやく》できるのではないかなあ。一番《いちばん》は、両親《りょうしん》や先生《せんせい》とよく話《はな》し合《あ》って、自分《じぶん》の将来《しょうらい》を考《かんが》えてはどうだろう。

◆逆立《さかだ》ちしながら試験《しけん》を受《う》ける!?

ついマジメに書《か》いてしまったが、実《じつ》は筆者《ひっしゃ》は、大学在学中《だいがくざいがくちゅう》から30代《だい》まで、学習塾《がくしゅうじゅく》の講師《こうし》を務《つと》めていたのだ。そのときの習性《しゅうせい》で、いろいろアドバイスしたくなります。その筆者《ひっしゃ》でさえドギモを抜《ぬ》かれたのが、大技《おおわざ》「ジャンピングダブルゴッドハンド」である。

なんと逆立《さかだ》ちして「うおおお」と絶叫《ぜっきょう》しながら、両方《りょうほう》の手《て》で答案用紙《とうあんようし》に書《か》き込《こ》んでいく！　先《さき》に紹介《しょうかい》した「答案二枚返《とうあんにまいがえ》し」と「消《き》える魔《ま》しんゴッドハンド」を複合《ふくごう》したうえに、逆立《さかだ》ちまで加《くわ》わっているという神技《しんぎ》である。

筆者《ひっしゃ》もたくさんの受験生《じゅけんせい》を教《おし》えてきたが、こんな態度《たいど》で試験《しけん》に臨《のぞ》む小学生《しょうがくせい》は見《み》たことがない。

しかしこの技《わざ》、役《やく》に立《た》つのだろうか？

ネーミングこそ「ジャンピング」だが、マンガを読《よ》むと一番《いちばん》は試験終了《しけんしゅうりょう》まで同《おな》じ姿勢《しせい》を保《たも》ち続《つづ》けている。試験中《しけんちゅう》ずっと逆立《さかだ》ちしている模様《もよう》だ。

このような姿勢《しせい》を取《と》ると、2本《ほん》の鉛筆《えんぴつ》に全体重《ぜんたいじゅう》がかかる。一番《いちばん》の体重《たいじゅう》は43kgという設定《せってい》だから、鉛筆《えんぴつ》1本《ぽん》に21・5kgもの筆圧《ひつあつ》がかかることになる。これによって、鉛筆《えんぴつ》と紙《かみ》との摩擦力《まさつりょく》も増大《ぞうだい》し、書《か》く速度《そくど》が遅《おそ》くなってしまうはずだが……。

別《べつ》のコマで確認《かくにん》すると、一番《いちばん》の字《じ》は太《ふと》くて汚《きたな》い。そこで秤《はかり》の上《うえ》に紙《かみ》を置《お》き、筆者《ひっしゃ》が同《おな》じくらいの太《ふと》さで字《じ》を書《か》いてみると、秤《はかり》は500gを示《しめ》した。すると、逆立《さかだ》ちによって、それが21・5kgになるわけで、筆圧《ひつあつ》は約《やく》40倍《ばい》に上昇《じょうしょう》したことになる。その分《ぶん》、速度《そくど》は40分《ぶん》の1に落《お》ちたはずである。

それでも「消《き》える魔《ま》しんゴッドハンド」を繰《く》り出《だ》している一番《いちばん》の手《て》は、目《め》にも留《と》まらぬ速《はや》さで動《うご》いている。これはどれほどの解答速度《かいとうそくど》なのだろうか？

人間《にんげん》の目《め》には見《み》えないという点《てん》から、ボクサーのパンチくらいのスピードは出《で》ていると考《かんが》えよう。プロボクサーのストレートは、時速《じそく》40km前後《ぜんご》。一番《いちばん》が1文字《もじ》書《か》くのに鉛筆《えんぴつ》を3cm動《うご》かすとしたら、このスピードで手《て》を動《うご》かし続《つづ》ければ、1秒間《びょうかん》に370字《じ》書《か》けることになる。左右《さゆう》の手《て》を合《あ》わせれば、740字《じ》だ！

一番《いちばん》がこの速度《そくど》で腕《うで》を動《うご》かしながら、よどみなく解答《かいとう》していったとしたら、ものすごくたくさんの問題《もんだい》を解《と》いていることになる。彼《かれ》の目標《もくひょう》は開布中学《かいふちゅうがく》という超難関校《ちょうなんかんこう》だったから、試《ため》しに筆者《ひっしゃ》が開成中学《かいせいちゅうがく》の算数《さんすう》の入試問題《にゅうしもんだい》を1問《もん》解《と》いてみると、途中計算《とちゅうけいさん》で114個《こ》の数字《すうじ》と記号《きごう》を要《よう》し、4分《ぷん》36秒《びょう》かかった。でも一番《いちばん》のペースなら、これを書《か》くのに、わずか0・15秒《びょう》！

かつて筆者《ひっしゃ》は学習塾《がくしゅうじゅく》で、まさに中学受験《ちゅうがくじゅけん》の算数《さんすう》を教《おし》えていたこともある。この小学生《しょうがくせい》は、そんな筆者《ひっしゃ》より1800倍《ばい》も早《はや》く解《と》けるのだ……！

◆受験《じゅけん》させてもらえません！

だが、よく考《かんが》えると、「ジャンピング ダブル ゴッドハンド」は、謎《なぞ》の技《わざ》である。両手《りょうて》で同時《どうじ》に答案《とうあん》を書《か》くなど、確《たし》かに人間業《にんげんわざ》ではない。鉄球特訓《てっきゅうとっくん》で鍛《きた》えた動体視力《どうたいしりょく》で、二《ふた》つの問題文《もんだいぶん》を同時《どうじ》に読《よ》み、一《ひと》つの頭《あたま》で二《ふた》つのことを考《かんが》えているのだろうから。

しかし、問題《もんだい》を解《と》くには、集中力《しゅうちゅうりょく》が必要《ひつよう》だ。問題文《もんだいぶん》の意味《いみ》を理解《りかい》し、何《なに》がゴールかを見極《みきわ》め、そこへたどり着《つ》く最良《さいりょう》の道《みち》を探《さが》し出《だ》す……。これを二《ふた》つの問題《もんだい》に対《たい》して同時《どうじ》にやると、確実《かくじつ》に時《じ》間《かん》がかかる。いくら一番《いちばん》が天才《てんさい》でも、1問《もん》を単独《たんどく》で解《と》くときの5倍《ばい》はかかるのではないか。すると、1問解《もんと》いてはまた1問《もん》……という具合《ぐあい》に、一《ひと》つずつ片《かた》づけていったほうが2・5倍《ばい》も早《はや》いことになる。筆者《ひっしゃ》など、2問同時《もんどうじ》に考《かんが》えたら、両方《りょうほう》とも永遠《えいえん》に解《と》けないだろう。

逆立《さかだ》ちして両手《りょうて》で書《か》くと、どう考《かんが》えても不利《ふり》なのだ。……などと、わざわざ言《い》う必要《ひつよう》もありませんな。誰《だれ》が考《かんが》えたってそうだ。

念《ねん》のため、全国展開《ぜんこくてんかい》している学習塾《がくしゅうじゅく》の先生《せんせい》に「受験生《じゅけんせい》が、試験中《しけんちゅう》にジャンピング ダブル ゴッドハンドをやり始《はじ》めたらどうしますか？」と聞《き》いてみたところ「他《ほか》の受験生《じゅけんせい》の迷惑《めいわく》になりますか

ら、絶対《ぜったい》にやめさせます」というキッパリしたお答《こた》えでした。一番《いちばん》のモーレツな特訓《とっくん》も、日《ひ》の目《め》を見《み》ないということですなあ。

　そんなわけなので、『とどろけ！一番《いちばん》』を読《よ》んでいても、やっぱり「マンガばかり読《よ》んでないで、勉強《べんきょう》しなさい！」と叱《しか》られると思《おも》います。冒頭《ぼうとう》で「受《じゅ》験《けん》に秘技《ひぎ》があるのか！」と身《み》を乗《の》り出《だ》してしまった皆《みな》さん、おとなしく地道《じみち》に勉強《べんきょう》を続《つづ》けましょう。

とっても気《き》になるアニメの疑問《ぎもん》

ゲゲゲの鬼太郎《きたろう》は、カラスの力《ちから》で空《そら》を飛《と》びます。カラスが何羽《なんわ》いれば可能《かのう》ですか？

怪奇現象《かいきげんしょう》に悩《なや》まされる人《ひと》が、妖怪《ようかい》ポストに手紙《てがみ》を入《い》れる。やがて「カランコロン」と鬼太郎《きたろう》の下駄《げた》の音《おと》が近《ちか》づいてくる……！

『ゲゲゲの鬼太郎《きたろう》』は、水木《みずき》しげる先生《せんせい》が昭和《しょうわ》30年代《ねんだい》から描《か》き続《つづ》けていたマンガを原作《げんさく》に、何度《なんど》もアニメ化《か》されてきた。マンガの初期《しょき》に見《み》られた不気味《ぶきみ》な雰囲気《ふんいき》は抑《おさ》えられているが、どこかのんびりした世界観《せかいかん》は、アニメでも充分《じゅうぶん》に活《い》かされている。

その一《ひと》つが、鬼太郎《きたろう》の移動手段《いどうしゅだん》だ。冒頭《ぼうとう》に書《か》いたように、鬼太郎《きたろう》は近《ちか》いところへは下駄《げた》を鳴《な》らして歩《ある》いていく。急《いそ》ぐ場合《ばあい》や遠《とお》くへ行《い》くときは一反《いったん》もめんに乗《の》って空《そら》を飛《と》ぶこともあるが、たくさんのカラスがぶら下《さ》げたロープを束《たば》ね、両手《りょうて》で握《にぎ》ってブランコのように乗《の》って飛《と》んでいくことも多《おお》い。せいぜいがそのくらいのスピード感《かん》で、それが心地《ここち》よかった。

本稿《ほんこう》で注目《ちゅうもく》したいのは、この「カラス飛行《ひこう》」だ。なんだかうらやましい移動方法《いどうほうほう》ではないか。われわれが一反《いったん》もめんに乗《の》るのは難《むずか》しそうだが、カラスだったら同《おな》じことができないだろうか。

カラスは、鳥類《ちょうるい》のなかでもっとも賢《かしこ》いといわれ、クルミを車《くるま》に轢《ひ》かせて割《わ》ったり、雪《ゆき》の斜面《しゃめん》を滑《すべ》って遊《あそ》んだりする。訓練次第《くんれんしだい》ではなんとかなるのでは……。

◆カラスの運搬力《うんぱんりょく》とは？

公式設定《こうしきせってい》によれば、鬼太郎《きたろう》の体重《たいじゅう》は30kgだという。これは小学《しょうがく》3年生男子《ねんせいだんし》の平均《へいきん》と同《おな》じ。軽《かる》いんだなあ、鬼太郎《きたろう》は。

これを運《はこ》ぶには、何羽《なんわ》のカラスがいればいいのだろう？　1羽《わ》のカラスがどれくらいの重《おも》さを運《はこ》べるのか、ネットで調《しら》べたところ、鳥《とり》の運搬能力《うんぱんのうりょく》について、さまざまな情報《じょうほう》が見《み》つかった。

「カラスは子猫《こねこ》を運《はこ》べる」

「カラスが大《おお》きなゴミ袋《ぶくろ》を運《はこ》ぶのを見《み》た」

「鷲《わし》が子《こ》ヤギを運《はこ》ぶのをテレビで見《み》た」

なかでも参考《さんこう》になるのは、鷹《たか》を飼《か》っている人《ひと》からの「鷹《たか》が持《も》ち上《あ》げられる重量《じゅうりょう》は、せいぜい自《じ》分《ぶん》の体重《たいじゅう》と同《おな》じぐらい」という情報《じょうほう》だ。

ここから、カラスが持《も》ち上《あ》げられる重量《じゅうりょう》も、体重《たいじゅう》と同《おな》じと考《かんが》えよう。

ただし、日本《にっぽん》に定住《ていじゅう》するカラスには、ハシブトガラスとハシボソガラスの2種《しゅ》がある。鬼太郎《きたろう》が乗《の》っていたのは、どっちのカラスなのか？

ハシブトガラスは、その名《な》のとおり嘴《くちばし》が太《ふと》く、澄《す》んだ声《こえ》で「カアカア」と鳴《な》き、都会《とかい》に住《す》む。ハシボソガラスは嘴《くちばし》が細《ほそ》く、しわがれた声《こえ》で「ガーガー」と鳴《な》き、農村《のうそん》などに住《す》む。

鬼太郎《きたろう》は、街《まち》から離《はな》れた沼《ぬま》のほとりに住《す》んでいたし、劇中《げきちゅう》のカラスたちはガーガー鳴《な》いていたから、ここではハシボソガラスと考《かんが》えていいだろう。

ハシボソガラスは、体長《たいちょう》50㎝、体重《たいじゅう》400～600g、翼《つばさ》を広《ひろ》げた幅《はば》が90㎝。平均体重《へいきんたいじゅう》を500gとすれば、1羽《わ》のカラスは、500gを持《も》ち上《あ》げられることになる。

すると、体重《たいじゅう》30㎏の鬼太郎《きたろう》を運《はこ》ぶのに必要《ひつよう》なカラスは60羽《ぱ》だ！

◆ロープの長《なが》さは25ｍ！

ハシボソガラスが60羽《ぱ》。これだけ集《あつ》まったら、もうガーガーガーガーうるさくてたまらないだろう。おまけに頭上《ずじょう》をこんなにたくさんのカラスが舞《ま》っていたら、いつフンを落《お》とされるか、気《き》が気《き》ではない。

だが、そこには目《め》をつぶり……いや、耳《みみ》もふさいで鼻《はな》も押《お》さえ、考《かん》えるべきは、この60羽《ぱ》をどのように操《あやつ》れば飛《と》べるのか、だ。

まず、鬼太郎《きたろう》が握《にぎ》っているロープは、カラスたちにどんな形《かたち》でつながれているのか？

口《くち》にくわえさせると、前方《ぜんぽう》だけに鬼太郎《きたろう》の体重《たいじゅう》がかかって、カラスはバランスを失《うしな》いかねない。体重《たいじゅう》がかかってもバランスが崩《くず》れないのは、翼《つばさ》の真下《ました》で支《ささ》えたときだ。だからといって足《あし》にロープを結《ゆ》わえつけたりすると、カラスも嫌《いや》がるだろう。

そう考《かんが》えると、カラスたちはロープを足《あし》の指《ゆび》で握《にぎ》っている、ということか。その場合《ばあい》、カラスが空中《くうちゅう》でロープを放《はな》したら終《お》わり。うむ。カラスとの信頼関係《しんらいかんけい》がきわめて重要《じゅうよう》な飛行法《ひこうほう》である。

カラスたちの空中《くうちゅう》での配置《はいち》も、とても大切《たいせつ》だ。彼《かれ》らは、上下《じょうげ》バラバラに飛《と》ぶのではなく、一《ひと》つの平面上《へいめんじょう》に並《なら》ぶべきだろう。上下《じょうげ》に分《わ》かれると、上段《じょうだん》のカラスのロープに、下段《げだん》のカラスの翼《つばさ》がぶつかる危険《きけん》があるからだ。

また、ハシボソガラスの翼《つばさ》の幅《はば》は90㎝に及《およ》ぶから、翼《つばさ》と翼《つばさ》をぶつけないためには、体《からだ》の中心同《ちゅうしんどう》士《し》の間隔《かんかく》を1mは空《あ》けねばなるまい。60羽《ぱ》のカラスがこの間隔《かんかく》で円盤状《えんばんじょう》に広《ひろ》がると、その直径《ちょっけい》は

８・８ｍにもなる。

そうなると、ロープにもかなりの長《なが》さが必要《ひつよう》だ。短《みじか》いと、端《はじ》っこのカラスのロープが斜《なな》めになり、力《ちから》がムダになってしまうのだ。傾《かたむ》きを最大《さいだい》10度《ど》に抑《おさ》えるとしたら、必要《ひつよう》なロープの長《なが》さは、なんと25ｍ！

◆タコ糸《いと》に命《いのち》を預《あず》ける！

う〜む、25ｍとは、８階建《かいだ》てのビルほどの高《たか》さである。劇中《げきちゅう》のカラス飛行《ひこう》はこんなに大規模《だいきぼ》なものではなく、せいぜい３〜４ｍくらいのロープでやっていたような気《き》が……。

しかも25ｍともなると、ロープ自体《じたい》の重《おも》さが無視《むし》できなくなる。手元《てもと》にあったロープを量《はか》ると１ｍで42ｇ。これが25ｍだと、ああっ、１kgと50ｇ！　ロープだけで、カラスの運搬能力《うんぱんのうりょく》５００ｇを２倍《ばい》も超《こ》えてしまう！

これはもう、ロープではなく、もっと細《ほそ》くて軽《かる》い紐《ひも》か糸《いと》を使《つか》ったほうがいい。

筆者《ひっしゃ》のおススメはタコ糸《いと》だ。糸《いと》に支《ささ》えられて空《そら》を飛《と》ぶのは怖《こわ》い気《き》もするが、手元《てもと》のタコ糸《いと》で測《そく》定《てい》すると……やたら手元《てもと》にいろんなモノがあるが、とにかく測定《そくてい》すると、１本《ぽん》あたり５・５kgに耐《た》えた。60本集《ぽんあつ》まれば、３３０kgを吊《つ》り下《さ》げられるから、30kgの鬼太郎《きたろう》を支《ささ》えるには充分《じゅうぶん》だ。

しかし、手元《てもと》のタコ糸《いと》の直径《ちょっけい》は1・2㎜。こんなに細《ほそ》い糸《いと》を、カラスは足《あし》でちゃんと握《にぎ》ることができるのだろうか? 爪《つめ》に引《ひ》つかかって、切《き》れたりしないのか……? カラスとの信頼関係《しんらいかんけい》がますます運命《うんめい》を握《にぎ》る鬼太郎《きたろう》の飛行《ひこう》である。

ふーむ。カラスと心《こころ》が通《つう》じていると思《おも》われる鬼太郎《きたろう》はともかく、われわれがカラスで飛《と》ぶには、ベラボーな肝《きも》っ玉《たま》が必要《ひつよう》みたいですぞ。

とっても気《き》になるマンガの疑問《ぎもん》

『進撃《しんげき》の巨人《きょじん》』の、壁《かべ》を作《つく》る前《まえ》の人類《じんるい》は、メチャクチャ大変《たいへん》だったのではないですか？

大《だい》ヒットした『進撃《しんげき》の巨人《きょじん》』は恐《おそ》ろしいマンガである。……って、3冊《さつ》連続《れんぞく》でまったく同《おな》じ書《か》き出《だ》しをしたら、さすがにギャグだと思《おも》うでしょ？

いやいや、本当《ほんとう》に怖《こわ》いのです。なかでも今回《こんかい》は、その世界観《せかいかん》を見渡《みわた》したときに、筆者《ひっしゃ》がいちばん怖《こわ》いと思《おも》う場面《ばめん》について考《かんが》えてみたい。

それは、物語《ものがたり》の舞台《ぶたい》から107年前《ねんまえ》。人類《じんるい》の前《まえ》に初《はじ》めて巨人《きょじん》たちが出現《しゅつげん》し、手当《てあ》たり次第《しだい》に人間《にんげん》を取《と》って食《く》い始《はじ》めたときだ！

マンガを発展《はってん》させた小説版《しょうせつばん》『進撃《しんげき》の巨人《きょじん》 Before《ビフォー》 the《ザ》 fall《フォール》』には、こんな一文《いちぶん》がある。

「人類《じんるい》は状況《じょうきょう》を何一《なにひと》つ把握《はあく》できないまま一方的《いっぽうてき》に捕食《ほしょく》され続《つづ》け、総人口《そうじんこう》を五十万人《ごじゅうまんにん》にまで激減《げきげん》させていった」

これは恐《おそ》ろしい！　人類《じんるい》はワケがわからんうちにどんどん食《た》べられて、たった50万人《まんにん》になってしまったというのだ。想像《そうぞう》すると、もうアタマが大砲《たいほう》で吹《ふ》き飛《と》ばされたかのような災厄《さいやく》である。

この状況《じょうきょう》に、当時《とうじ》の人《ひと》たちは必死《ひっし》に壁《かべ》を作《つく》り始《はじ》め、２年後《ねんご》に完成《かんせい》。人類《じんるい》はそのなかで暮《く》らすようになった。その後《ご》１００年間《ねんかん》は平穏《へいおん》だったが、５年前《ねんまえ》に超大型《ちょうおおがた》の巨人《きょじん》が現《あらわ》れて壁《かべ》を壊《こわ》した……というのが『進撃《しんげき》の巨人《きょじん》』の物語《ものがたり》なのだ。現在進行中《げんざいしんこうちゅう》の話《はなし》も怖《こわ》いけど、いやあ、どう考《かんが》えたって１０７年前《ねんまえ》のほうが怖《こわ》いだろう。

そこで本稿《ほんこう》では、１０７年前《ねんまえ》の人類《じんるい》がどれほどひどい目《め》に遭《あ》ったかを考《かんが》えてみよう。いや、ホントは考《かんが》えたくないほど怖《こわ》いけど、その頃《ころ》の人々《ひとびと》があまりに気《き》の毒《どく》すぎるので――。

◆１０７年前《ねんまえ》の世界人口《せかいじんこう》

巨人《きょじん》が初《はじ》めて現《あらわ》れたのは、劇中暦《げきちゅうれき》８５０年《ねん》から数《かぞ》えて１０７年前《ねんまえ》、すなわち７４３年《ねん》である。

その当時《とうじ》、『進撃《しんげき》』世界《せかい》の人口《じんこう》はどれくらいだったのだろうか？

現在《げんざい》、地球《ちきゅう》の人口《じんこう》は73億人《おくにん》だが、これは20世紀《せいき》に入《はい》ってから人口《じんこう》が爆発的《ばくはつてき》に増《ふ》えてきた結果《けっか》だ。

過去《かこ》を遡《さかのぼ》れば、1900年《ねん》の世界人口《せかいじんこう》は16億人《おくにん》、1800年《ねん》には9億人《おくにん》、1650年《ねん》にはわずか5億人《おくにん》でしかなかった。

このように人口《じんこう》が急増《きゅうぞう》してきたのは、農業技術《のうぎょうぎじゅつ》の進歩《しんぽ》によって食料《しょくりょう》が増産《ぞうさん》されたこと、医学《いがく》の発達《はったつ》と普及《ふきゅう》によって子《こ》どもの死亡率《しぼうりつ》が下《さ》がり、大人《おとな》が長生《ながい》きするようになったことなど、科学技《かがくぎ》術《じゅつ》の発展《はってん》によるものだ。すると『進撃《しんげき》の巨人《きょじん》』における743年《ねん》の人口《じんこう》も、その時代《じだい》に技術《ぎじゅつ》がどれほど進《すす》んでいたかによって推測《すいそく》できるだろう。そこで、物語《ものがたり》から読《よ》み取《と》れる劇中暦《げきちゅうれき》850年前《ねんぜん》後《ご》の状況《じょうきょう》を、現実世界《げんじつせかい》における技術《ぎじゅつ》の進歩《しんぽ》と比《くら》べてみよう。

現実世界《げんじつせかい》で14世紀《せいき》に開発《かいはつ》された「金属製《きんぞくせい》の大砲《たいほう》」は、劇中《げきちゅう》にも出《で》てくる。16世紀《せいき》に広《ひろ》まった「メガネ」は、エレンの父《ちち》がかけていたし、1796年《ねん》の「ワクチン」、1852年《ねん》の「注射器《ちゅうしゃき》」もエレンの父《ちち》が持《も》っていた。1831年《ねん》に発明《はつめい》された「鉄《てつ》のワイヤー」や1883年《ねん》の「タービン」、1900年《ねん》の「ガスボンベ」は、立体機動装置《りったいきどうそうち》についている。一方《いっぽう》で、現実《げんじつ》の世界《せかい》で1804年《ねん》に造《つく》られた「蒸気機関車《じょうききかんしゃ》」や1837年《ねん》の「電信《でんしん》」や1885年《ねん》の「ガソリンエンジン」などは、『進撃《しんげき》の巨人《きょじん》』の世界《せかい》には存在《そんざい》しない。

ふ〜むふむ、大砲《たいほう》もメガネも注射器《ちゅうしゃき》もガスボンベもある。乗《の》り物《もの》と電気関係《でんきかんけい》を除《のぞ》けば、『進撃《しんげき》の巨人《きょじん》』の世界《せかい》の850年《ねん》における技術水準《ぎじゅつすいじゅん》は、現実世界《げんじつせかい》の1900年《ねん》と同《おな》じぐらいと考《かんが》えていいだろう。すると巨人《きょじん》が現《あらわ》れた107年前《ねんまえ》は、現実世界《げんじつせかい》の1800年《ねん》に相当《そうとう》するのだろうか。だとしたら、その時代《じだい》、世界人口《せかいじんこう》は9億人《おくにん》であった。

◆最初《さいしょ》の日《ひ》に食《く》われたのは何人《なんにん》?

ここから、『進撃《しんげき》』の743年《ねん》、世界《せかい》の人口《じんこう》は9億人《おくにん》であったと仮定《かてい》しよう。これが50万人《まんにん》にまで減《へ》ったということは……ぎょぎょぎょっ、8億《おく》9950万人《まんにん》が食《く》われたの!?

そ、それはいったい、どのような惨劇《さんげき》だったのか。

初《はじ》めにも記《しる》したとおり、850年《ねん》から数《かぞ》えると、巨人《きょじん》の出現《しゅつげん》は107年前《ねんまえ》、壁《かべ》の完成《かんせい》は105年前《ねんまえ》。劇中《げきちゅう》の説明《せつめい》によれば、壁《かべ》の建設《けんせつ》が始《はじ》まったのは、人類《じんるい》の大半《たいはん》が食《く》い尽《つ》くされたあとだというから、たった2年《ねん》のあいだに、人類《じんるい》がほぼ全滅《ぜんめつ》するという大事件《だいじけん》が発生《はっせい》し、壁《かべ》の建設《けんせつ》という大《だい》事業《じぎょう》が行《おこな》われたことになる。壁《かべ》を作《つく》っているあいだにも巨人《きょじん》に襲《おそ》われて、食《た》べられたりした人《ひと》がいっぱいいたんだろうなあ。想像《そうぞう》するだけでオソロシか〜。

9億人《おくにん》が2年間《ねんかん》で50万人《まんにん》に減少《げんしょう》するまでに、人口《じんこう》はどういう減《へ》り方《かた》をしていったのだろうか?

魚《さかな》の乱獲《らんかく》で生息数《せいそくすう》が減《へ》ると、漁獲量《ぎょかくりょう》も減《へ》るように、人間《にんげん》も最初《さいしょ》のうちはどんどん食《く》われたが、人《じん》口《こう》が減《へ》るにしたがって、1日《にち》に食《く》われる人数《にんずう》も少《すく》なくなっていったと考《かんが》えられる。

このパターンで9億人《おくにん》が730日《にち》で50万人《まんにん》になったということは、人類《じんるい》は毎日《まいにち》1・02%ずつ数《かず》を減《へ》らしていった計算《けいさん》になる。最初《さいしょ》の1日《にち》に食《く》われた人数《にんずう》は919万4千人《まんせんにん》！　ぎょへ〜っ、そんなに!?

しかも、これは1日《にち》だけで終《お》わる話《はなし》ではない。2日目《かめ》は910万人《まんにん》、3日目《かめ》は901万《まん》6千人《せんにん》、4日目《かめ》は891万《まん》3千人《ぜんにん》……と被害者《ひがいしゃ》の人数《にんずう》は少《すこ》しずつ減《へ》らしながらも、この惨劇《さんげき》が730日間《にちかん》続《つづ》くのである！

◆巨人《きょじん》はどんだけ現《あらわ》れたのか？

劇中暦《げきちゅうれき》743年《ねん》のある日《ひ》、大勢《おおぜい》の巨人《きょじん》がいきなり出現《しゅつげん》し、人類《じんるい》を猛然《もうぜん》と食《く》い荒《あ》らし始《はじ》めた。その日《ひ》、いったい何体《なんたい》の巨人《きょじん》が現《あらわ》れたのだろうか。

単純《たんじゅん》な数字《すうじ》のシミュレーションだが、初日《しょにち》に919万人《まんにん》が食《た》べられたと推定《すいてい》されるのだから、巨人《きょじん》の胃《い》の容積《ようせき》がわかれば、その日《ひ》に出現《しゅつげん》した巨人《きょじん》の人数《にんずう》もわかるはずである。巨人《きょじん》が人間《にんげん》を食《た》べるのはただ殺戮《さつりく》のためで、消化《しょうか》して栄養《えいよう》にするわけではない。だが、いったん胃《い》に入《い》れるのは確《たし》かなので、あのヒトタチの胃《い》の容量《ようりょう》を考《かんが》えよう。

筆者《ひっしゃ》が生涯最大《しょうがいさいだい》の満腹《まんぷく》を覚《おぼ》えたのは、ギョウザ60個《こ》を30分《ぷん》で食《た》べたときだった。あるお店《みせ》の前《まえ》

で「ギョウザ60個《こ》を30分《ぷん》で食《た》べたら無料《むりょう》」という貼《は》り紙《がみ》が目《め》についてどうしても食《た》べたくなり、おカネもないのに挑戦《ちょうせん》してしまったのだ。幸甚《こうじん》にも27分《ふん》で成功《せいこう》したが、ギョウザ60個《こ》とは1・5kgである。死《し》ぬかと思《おも》った〜。

この筆者《ひっしゃ》の体験《たいけん》をもとに、胃《い》の容量《ようりょう》は体《からだ》の大《おお》きさに比例《ひれい》すると考《かんが》え、人間《にんげん》の体重《たいじゅう》を老若男女《ろうにゃくなんにょ》合《あ》わせて平均《へいきん》50kgとして計算《けいさん》すると、4m級《きゅう》、7m級《きゅう》、15m級《きゅう》の巨人《きょじん》たちが満腹《まんぷく》するのは、次《つぎ》の量《りょう》および人数《にんずう》を食《た》べたときだと考《かんが》えられる。

巨人《きょじん》の大《おお》きさ	満腹《まんぷく》する重量《じゅうりょう》	満腹《まんぷく》する人数《にんずう》
4m級《きゅう》	21kg	0・4人《にん》
7m級《きゅう》	112kg	2・2人《にん》
15m級《きゅう》	1・1t	22人《にん》

なんだ、4m級《きゅう》は人間《にんげん》1人《ひとり》も食《た》べられないのか〜、などとホッとしている場合《ばあい》ではない。数字《すうじ》の上《うえ》では0・4人《にん》でも、その人《ひと》が死《し》ぬことに変《か》わりはないのだ。そのうえ、巨人《きょじん》1人《ひとり》あたりの食《しょく》人量《じんりょう》が意外《いがい》に少《すく》ないということは、それだけたくさんの巨人《きょじん》が現《あらわ》れたはずである！

マンガでは、体《からだ》の小《ちい》さな巨人《きょじん》ほど、数《かず》が多《おお》い傾向《けいこう》が見《み》られる。そこで、7m級《きゅう》は15m級《きゅう》の2倍《ばい》、4m級《きゅう》はそのまた2倍《ばい》いると仮定《かてい》しよう。その場合《ばあい》、最初《さいしょ》の1日《にち》に919万人《まんにん》を食《く》い尽《つ》くした巨《きょ》人《じん》の数《かず》は、15m級《きゅう》32万《まん》8千体《せんたい》、7m級《きゅう》65万《まん》6千体《せんたい》、4m級《きゅう》131万《まん》2千体《せんたい》、総勢《そうぜい》230万体《まんたい》！

んぎょ〜〜〜〜〜〜〜〜。

なんと巨人《きょじん》は、現存《げんそん》する人類《じんるい》50万人《まんにん》の4倍以上《ばいいじょう》もいる！　そして、巨人《きょじん》はうなじを切《き》られないかぎり死《し》なないのだから、いまもこの大軍勢《だいぐんぜい》が、虎視眈々《こしたんたん》と人類《じんるい》を狙《ねら》っているはずなのだ……！

ああ、怖《こわ》い。本当《ほんとう》に怖《こわ》いな『進撃《しんげき》の巨人《きょじん》』。その怖《こわ》さが面白《おもしろ》いんだけど、実《じつ》に怖《こわ》い。

とっても気《き》になる特撮《とくさつ》の疑問《ぎもん》

『地球戦隊《ちきゅうせんたい》ファイブマン』の母親《ははおや》はすごい女性《じょせい》だそうです。マネできますか？

空想科学《くうそうかがく》の世界《せかい》にすごい女性《じょせい》は何人《なんにん》もいらっしゃるが、筆者《ひっしゃ》が心《こころ》から驚嘆《きょうたん》するのは『地球戦隊《ちきゅうせんたい》ファイブマン』に登場《とうじょう》された星川緑《ほしかわみどり》さんだ。

スーパー戦隊《せんたい》シリーズ14作目《さくめ》にあたるこの作品《さくひん》、背景《はいけい》の世界観《せかいかん》がまことに壮大《そうだい》であった。物語《ものがたり》の舞台《ぶたい》から28年前《ねんまえ》、星川博士《ほしかわはかせ》と妻《つま》の緑《みどり》さんは、悪《あく》の銀帝軍《ぎんていぐん》ゾーンに滅《ほろ》ぼされた星《ほし》に緑《みどり》をよみがえらせたいと考《かんが》え、夫婦《ふうふ》2人《ふたり》でシドン星《せい》に移住《いじゅう》した。ゾーンに襲《おそ》われたシドン星《せい》は、住民《じゅうみん》がほぼ全《ぜん》滅《めつ》しただけでなく、その大地《だいち》には一本《いっぽん》の植物《しょくぶつ》さえ生《は》えなくなっていたのだ。

星川夫妻《ほしかわふさい》は、シドン星《せい》で5人《にん》の子《こ》どもを生《う》み育《そだ》てながら、8年《ねん》の歳月《さいげつ》をかけて、ようやくシド

ンの花《はな》を咲《さ》かせることに成功《せいこう》した。それは真《ま》っ白《しろ》な、大輪《たいりん》の花《はな》であった。

ところがある日《ひ》、銀帝軍《ぎんていぐん》ゾーンが再《ふたた》び襲来《しゅうらい》。せっかく咲《さ》いたシドンの花《はな》を焼《や》き払《はら》い、生《い》き残《のこ》っていたシドン人《じん》の子《こ》どもたちを殺害《さつがい》する。星川夫妻《ほしかわふさい》は、ロボットのアーサーG6《ジーシックス》に5人《にん》の子《こ》どもたちを宇宙船《うちゅうせん》で地球《ちきゅう》に帰《かえ》すように言《い》い残《のこ》し、自分《じぶん》たちは爆発《ばくはつ》に巻《ま》き込《こ》まれてしまう……。

『地球戦隊《ちきゅうせんたい》ファイブマン』の舞台《ぶたい》は、それから20年後《ねんご》。アーサーG6《ジーシックス》に地球《ちきゅう》で育《そだ》てられた5人《にん》の子《こ》どもたちは、全員《ぜんいん》がニュータウン小学校《しょうがっこう》の先生《せんせい》になっていた。そこへ銀帝軍《ぎんていぐん》ゾーンが襲来《しゅうらい》、5人《にん》はファイブマンとして戦《たたか》うことになる……という物語《ものがたり》だ。

つまり、ここで紹介《しょうかい》したい星川緑《ほしかわみどり》さんというのは、主人公《しゅじんこう》たちのお母《かあ》さんで、物語《ものがたり》の最重要人物《さいじゅうようじんぶつ》というわけではない。でも、すごくないですか、その経歴《けいれき》!? 夫婦《ふうふ》2人《ふたり》だけで他《ほか》の星《ほし》に移住《いじゅう》! 目的《もくてき》は、滅《ほろ》んだ星《ほし》の再生《さいせい》! そこで出産《しゅっさん》&子育《こそだ》て!

これらに加《くわ》え、かつて学習塾《がくしゅうじゅく》の講師《こうし》をしていた筆者《ひっしゃ》としては、「5人《にん》の兄弟《きょうだい》が揃《そろ》って同《おな》じ小学校《しょうがっこう》の先生《せんせい》になるなんて、教育委員会《きょういくいいんかい》はどういう人事《じんじ》をしているのか?」とか「双子《ふたご》のレミと文矢《ふみや》は20歳《さい》なのに、教職員免許《きょうしょくいんめんきょ》が取《と》れるのか?」など、教育関係《きょういくかんけい》の面《めん》でもアレコレ気《き》になるのだが、いま考《かんが》えたいのはそれではない。

ファイブマンの母親《ははおや》の緑《みどり》さんのがんばりに注目《ちゅうもく》しながら、宇宙生活《うちゅうせいかつ》の過酷《かこく》さを考《かんが》えよう。

◆シドン星《せい》に産婦人科《さんふじんか》はない！

星川緑《ほしかわみどり》さんは、夫《おっと》と2人《ふたり》きりで、滅《ほろ》んだ星《ほし》へ移住《いじゅう》した——。これは大変《たいへん》なことである。炊事《すいじ》、洗濯《せんたく》、掃除《そうじ》といった日常《にちじょう》の家事《かじ》も、環境《かんきょう》の違《ちが》う星《ほし》においては、重労働《じゅうろうどう》になる。電気《でんき》もガスも水道《すいどう》もないのだから。夫《おっと》と協力《きょうりょく》し、川《かわ》で水《みず》を汲《く》み、山《やま》から薪《たきぎ》を取《と》ってきて……あっ、シドン星《せい》には植物《しょくぶつ》が生《は》えていないのだから、薪《たきぎ》もない！

何《なに》より苦労《くろう》したのは、子《こ》どもを5人《にん》も生《う》んで育《そだ》てたことだろう。当然《とうぜん》、シドン星《せい》には産婦人科《さんふじんか》の医者《いしゃ》もいないし、病院《びょういん》もない。そんな環境《かんきょう》で子《こ》どもを生《う》んだということは、赤《あか》ん坊《ぼう》を取《と》り上《あ》げ、へその緒《お》を切《き》り、産湯《うぶゆ》を使《つか》わせたのは、夫《おっと》の星川博士《ほしかわはかせ》か、ロボットのアーサーG6《ジーシックス》……しかいないよなあ。

さらに心配《しんぱい》なのは、食《た》べるものはあったのかということだ。シドン星《せい》には植物《しょくぶつ》がないのだから、自分《じぶん》たちで農作物《のうさくもつ》を作《つく》るしかない。ところが、8年目《ねんめ》にやっとシドンの花《はな》が咲《さ》いたということは、それまで農作物《のうさくもつ》は一切《いっさい》作《つく》れなかったわけである。

当然《とうぜん》、食事《しょくじ》はすべて、地球《ちきゅう》から持《も》っていった食材《しょくざい》でやりくりするしかなかっただろう。人間《にんげん》が1日《にち》に食《た》べる食物《しょくもつ》の量《りょう》は1・6kgといわれるから、夫婦《ふうふ》の分《ぶん》だけで8年《ねん》で9・4t。これだけの食料《しょくりょう》を8年《ねん》も備蓄《びちく》して、腐《くさ》らなかったのだろうか？

実《じつ》は、それだけは心配《しんぱい》ない。地球《ちきゅう》では、植物《しょくぶつ》が太陽《たいよう》の光《ひかり》を浴《あ》びて養分《ようぶん》を作《つく》り出《だ》し、それを草食《そうしょく》動物《どうぶつ》が食《た》べ、さらにそれを肉食動物《にくしょくどうぶつ》が食《た》べて生《い》きている。そして、キノコやカビなどの菌《きん》と、大《だい》腸菌《ちょうきん》や乳酸菌《にゅうさんきん》などの仲間《なかま》の細菌《さいきん》が、動植物《どうしょくぶつ》の糞《ふん》や死骸《しがい》を分解《ぶんかい》することで生《い》きている。分解《ぶんかい》されたものは、土《つち》にかえって植物《しょくぶつ》の肥料《ひりょう》になる。こうして、植物《しょくぶつ》、動物《どうぶつ》、菌《きん》、細菌《さいきん》は、それぞれが自分《じぶん》の役割《やくわり》を果《は》たしつつ、生態系《せいたいけい》を成《な》り立《た》たせ、そのなかで生《い》きている。

ところが、シドン星《せい》には植物《しょくぶつ》がない。ということは、動物《どうぶつ》も菌《きん》も細菌《さいきん》も生《い》きられない！ 食《た》べ物《もの》が腐《くさ》るというのは、菌《きん》や細菌《さいきん》が食《た》べ物《もの》を分解《ぶんかい》するということだから、これらがいなければ、刺《さし》身《み》だろうと、牛乳《ぎゅうにゅう》だろうと、腐《くさ》ることはないのである。

わーい、ラッキー！ などと喜《よろこ》んでいる場合《ばあい》ではない。菌《きん》や細菌《さいきん》がいなければ、味噌《みそ》や醤油《しょうゆ》や納豆《なっとう》やチーズやヨーグルトなどの発酵食品《はっこうしょくひん》が作《つく》れない。星川一家《ほしかわいっか》のシドン星《せい》での食生活《しょくせいかつ》は、とても味気《あじけ》なかっただろうと思《おも》われる。

そして、食《た》べ物《もの》が腐《くさ》らないということは、生《なま》ゴミもいつまでもそのままで、土《つち》にかえらない。それはすなわち、植物《しょくぶつ》を育《そだ》てるための肥料《ひりょう》がないということだ。星川博士《ほしかわはかせ》は、そんな環境《かんきょう》でどうやって星《ほし》をよみがえらせようとしていたのだろうか……？

◆大丈夫《だいじょうぶ》か、この旦那《だんな》さん!?

この星川博士《ほしかわはかせ》は、ちょっと不《ふ》思議《しぎ》なヒトでもある。

たとえば、彼《かれ》はシドンの花《はな》が咲《さ》いた畑《はたけ》に「星川緑化試験農場《ほしかわりょっかしけんのうじょう》」という看板《かんばん》を立《た》てていた。シドン星《せい》に、人間《にんげん》は自分《じぶん》とその家族《かぞく》しかいないのに、それはいったい誰《だれ》に見《み》せるための看板《かんばん》なのだろう？

そもそも、滅《ほろ》んだ星《ほし》を夫婦《ふうふ》でよみがえらせるとは、あまりの大望《たいもう》だ。前述《ぜんじゅつ》したように、生物《せいぶつ》は一種《いっしゅ》だけでは生《い》きられない。さまざまな動植物《どうしょくぶつ》や、菌《きん》や細菌《さいきん》が必要《ひつよう》だ。それはシドン星《せい》にはいないのだから、当然《とうぜん》、地球《ちきゅう》から持《も》っていくしかないだろう。それで8年後《ねんご》、シドンの花《はな》だけが咲《さ》いたということは、他《ほか》の生物《せいぶつ》たちはいったいどうしちゃったのか。

そのたった一種類《いっしゅるい》の花《はな》が咲《さ》いたとき、星川博士《ほしかわはかせ》は言《い》った。「花《はな》が咲《さ》いたということは、実《み》がなるんだよ」。

いや博士《はかせ》、喜《よろこ》ぶのはまだ早《はや》いと思《おも》います。シドンの花《はな》のように目立《めだ》つ花《はな》をつける植物《しょくぶつ》は、昆虫《こんちゅう》に花粉《かふん》を運《はこ》んでもらわないと受粉《じゅふん》ができず、実《み》もならない。その意味《いみ》でも、星《ほし》をよみがえらせるためには、たくさんの生物《せいぶつ》が必要《ひつよう》なのだ。

昆虫《こんちゅう》のいない星《ほし》で実《み》をならせるには、筆《ふで》などでおしべの花粉《かふん》をめしべにつける「人工授粉《じんこうじゅふん》」をする必要《ひつよう》がある。それで実《み》がなっても、芽《め》が出《で》て花《はな》が咲《さ》いたら、また人工授粉《じんこうじゅふん》。いくら繰《く》り返《かえ》しても シドンの花《はな》が咲《さ》くだけで、自然《しぜん》がよみがえるわけではない……。

こんな博士《はかせ》と未知《みち》の星《ほし》へ行《い》って、大変《たいへん》な苦労《くろう》をしたであろうに、心《こころ》が折《お》れなかった星川緑《ほしかわみどり》さん。筆者《ひっしゃ》は彼女《かのじょ》をこよなく尊敬《そんけい》する。でも、みなさんはマネしないほうがいいと思《おも》うな〜。

とっても気《き》になる昔話《むかしばなし》の疑問《ぎもん》

『舌《した》切《き》り雀《すずめ》』のおばあさんは、なぜあそこまで雀《すずめ》にツラく当《あ》たったのでしょう？

優《やさ》しいおじいさんは、ケガをした雀《すずめ》を助《たす》けてかわいがった。⇓雀《すずめ》のお宿《やど》で、おじいさんが小《ちい》さなつづらを選《えら》ぶと、中《なか》には金銀財宝《きんぎんざいほう》がぎっしり！

意地悪《いじわる》なおばあさんは、雀《すずめ》の舌《した》を切《き》って追《お》い出《だ》す。⇓雀《すずめ》のお宿《やど》で、おばあさんが大《おお》きなつづらを選《えら》ぶと、中《なか》にはお化《ば》けがどっちゃり！

この昔話《むかしばなし》を知《し》らない人《ひと》はいないだろう。われわれは『舌《した》切《き》り雀《すずめ》』によって「因果応報《いんがおうほう》」を教《おし》えられたのだ。よい行《おこな》いをした人《ひと》にはよい報《むく》いがあり、悪《わる》いことをした人《ひと》には悪《わる》い報《むく》いがある、と。

それはよいのだが、不可解《ふかかい》である。雀《すずめ》をかわいがるおじいさんと、その舌《した》を切《き》るおばあさん。

小《ちい》さなつづらを選択《せんたく》するおじいさんと、大《おお》きなつづらをほしがるおばあさん。この夫婦《ふうふ》、やることなすこと正反対《せいはんたい》だ。何十年《なんじゅうねん》もいっしょに暮《く》らしてきただろうに、ここまで性格《せいかく》が違《ちが》って、何《なに》か問題《もんだい》はなかったのだろうか。

本稿《ほんこう》では『舌切《したき》り雀《すずめ》』を通《つう》じて、夫婦《ふうふ》のあり方《かた》を考《かんが》えよう。タイトルに「科学《かがく》」のつく本《ほん》で語《かた》るべきテーマなのかなあ？　という気《き》もするが、人生《じんせい》において重要《じゅうよう》な問題《もんだい》であります。

◆問題《もんだい》はどこにあるのか？

おちょん。

おじいさんがかわいがっていた雀《すずめ》の名前《なまえ》である。足《あし》をケガして動《うご》けなくなっていたところを、おじいさんが連《つ》れ帰《かえ》り、傷《きず》の手当《てあ》てをしてあげたのだ。

ところが、この雀《すずめ》の舌《した》を、おばあさんがハサミで切断《せつだん》！　おばあさんが作《つく》っておいた糊《のり》を、おちょんがすっかり舐《な》めてしまったため、それに腹《はら》を立《た》てての懲罰《ちょうばつ》であった。

おばあさんは、こうして雀《すずめ》を追《お》い出《だ》してしまったが、それを知《し》ったおじいさんはおちょんの身《み》を案《あん》じて探《さが》しに出《で》かける。「舌切《したき》り雀《すずめ》、お宿《やど》はどこだ」と叫《さけ》び続《つづ》けながら尋《たず》ね歩《ある》いて、雀《すずめ》のお宿《やど》を発見《はっけん》。おちょんと再会《さいかい》し、雀《すずめ》たちにご馳走《ちそう》や踊《おど》りでもてなされ、帰《かえ》りにはおみやげもいただいて……というのが、物語《ものがたり》の前半《ぜんはん》である。

トラブルの発端《ほったん》は、おちょんが糊《のり》を食《た》べてしまったことにある。その糊《のり》は、洗濯《せんたく》した着物《きもの》にパリッと型《かた》をつけるための洗濯糊《せんたくのり》で、昔《むかし》は小麦粉《こむぎこ》をお湯《ゆ》で溶《と》かして作《つく》った。麦《むぎ》は雀《すずめ》の大好物《だいこうぶつ》で、お湯《ゆ》に溶《と》かしてあれば消化《しょうか》もいい。雀《すずめ》が喜《よろこ》んで食《た》べるのは当然《とうぜん》であろう。

ただし、絵本《えほん》の挿絵《さしえ》を見《み》ると、おちょんはドンブリ一杯《いっぱい》の糊《のり》を舐《な》め尽《つ》くしている。明《あき》らかに食《た》べすぎだ。空《そら》を飛《と》ぶ鳥《とり》は、胃《い》も小《ちい》さく、腸《ちょう》も短《みじか》いが、これは体内《たいない》に蓄《たくわ》える食物《しょくもつ》を少《すく》なくして、体《からだ》を軽《かる》くするため。ドンブリ一杯《いっぱい》も食《た》べたがゆえに、おちょんは飛《と》べなくなり、簡単《かんたん》におばあさんにつかまってしまった可能性《かのうせい》もある。う～む、この昔話からは「自業自得」も学べますな。

この動物虐待《どうぶつぎゃくたい》が行《おこな》われたのは、おじいさんが家《いえ》を留守《るす》にしているときだった。帰《かえ》ってきてみれば、おちょんはいない。おばあさんに聞《き》けば、平然《へいぜん》とこう言《い》うではないか。「大切《たいせつ》な糊《のり》を舐《な》めてしまったから、舌《した》を切《き》って追《お》い出《だ》しましたよ」。これに対《たい》して、おじいさんはどうしたか？

『昔《むかし》ばなし100話《わ》』(主婦《しゅふ》と生活社《せいかつしゃ》)では、「なんで、そんなひどいことを……」。おじいさんは、すずめのことが心配《しんぱい》でなりません。

『舌切雀《したきりすずめ》』(講談社《こうだんしゃ》)では、無言《むごん》のまま、おじいさんは、こすずめのことがしんぱいで、夜《よる》もねむれませんでした。

ええっ、おじいさん、叱《しか》らないんですか？

「なんてことするんだ！」とか「おちょんを探《さが》してこい。見《み》つかるまで帰《かえ》ってくるな！」とか、そのくらい言《い》ってもいいと思《おも》うんだケド。

おじいさんは、弱腰《よわごし》すぎる。言《い》いたいことも言《い》わない。ここに『舌切り雀《したきりすずめ》』の悲劇《ひげき》を招《まね》いた遠《えん》因《いん》があるのではないかなあ。

◆違《ちが》うからこそ、うまく行《い》く

彼《かれ》に比《くら》べると、おばあさんはまことにキッパリとしている。

雀《すずめ》が糊《のり》を食《た》べたから、罰《ばつ》を与《あた》えて追《お》い出《だ》した。夫《おっと》がかわいがっていた雀《すずめ》であり、懲罰《ちょうばつ》も過剰《かじょう》だったかもしれないが、気《き》にする様子《ようす》はない。おじいさんに「おちょんはどうした？」と聞《き》かれても、事実《じじつ》を堂々《どうどう》と述《の》べる。ここ、陰湿《いんしつ》なヒトだったら「おちょん？　さあ、新《あたら》しい友達《ともだち》でもできたんじゃございませんこと？」とシラを切《き》りそうな場面《ばめん》である。筆者《ひっしゃ》はわりと好《す》きだなあ、こういう竹《たけ》を割《わ》ったような性格《せいかく》の人《ひと》。

こんなおばあさんが、大《おお》きなつづらを選《えら》んだからといって、誰《だれ》にとがめられよう。おじいさんが持《も》ち帰《かえ》った小《ちい》さなつづらには、金銀財宝《きんぎんざいほう》がぎっしり詰《つ》まっていた。そして「大《おお》きなつづらもあ

った」と聞《き》かされれば「大《おお》きなほうには、さらに大量《たいりょう》のお宝《たから》が入《はい》っていたはず」と考《かんが》えるのは、まことに当然《とうぜん》のことである。

だいたい、「小《ちい》さなつづらには宝物《たからもの》を、大《おお》きなつづらには化《ば》け物《もの》を」という雀《すずめ》のお宿《やど》サイドの姿勢《しせい》はどうなのか？　おじいさんが「せっかくのおみやげだから、大《おお》きなつづらをいただこうかのう」などと言《い》い出《だ》したら、どうするつもりだったのだろう。選《えら》ばせておいて「いや、おじいさん、そっちはやめたほうが……」などと言《い》い出《だ》したのでは、めちゃくちゃ気《き》まずくなるぞ。

ややっ。いつの間《ま》にか、おばあさんを高《たか》く評価《ひょうか》して、雀《すずめ》のお宿《やど》を非難《ひなん》しているが、おばあさんがひどい動物虐待《どうぶつぎゃくたい》をしたことは間違《まちが》いない。雀《すずめ》のお宿《やど》に乗《の》り込《こ》んで、接待《せったい》も断《ことわ》り、土産《みやげ》のつづらだけを要求《ようきゅう》する厚《あつ》かましさも、人《ひと》として恥《は》ずかしい。

だが、おばあさんがおじいさんと同《おな》じ性格《せいかく》だったら、どうなっていたか。たとえば、隣《となり》の人《ひと》が「米《こめ》を貸《か》してくれ」と言《い》ってくれれば、このおじいさんは「好《す》きなだけ持《も》っていきなさい」と言《い》うだろう。それに加《くわ》えておばあさんが「味噌《みそ》も醤油《しょうゆ》も持《も》っていきなさい」などと言《い》ったりしたら、家計《かけい》はたちまち破綻《はたん》する。この夫婦《ふうふ》は性格《せいかく》が極端《きょくたん》に違《ちが》っていたからこそ、何十年《なんじゅうねん》も暮《く》らしてこられたのだ。

『舌切《したき》り雀《すずめ》』の物語《ものがたり》は、大《おお》きなつづらから多数《たすう》のお化《ば》けが現《あらわ》れて、肝《きも》をツブしたおばあさんが深《ふか》く反省《はんせい》し、これ以降《いこう》は優《やさ》しくなったという「ハッピーエンド」を迎《むか》えるが、本当《ほんとう》にハッピーかなあ？　おばあさんは、あまりおじいさん寄《よ》りの性格《せいかく》にならないほうがいいと思《おも》うよ。

いやはや、夫婦関係《ふうふかんけい》というのは、まことに奥深《おくぶか》い……って、あら。やっぱり、科学《かがく》の本《ほん》に収録《しゅうろく》する原稿《げんこう》としてはどうなんだ!?　という内容《ないよう》になってしまいましたか。めでたし、めでたし。

とっても気《き》になる特撮《とくさつ》の疑問《ぎもん》

怪獣図鑑《かいじゅうずかん》に載《の》っていた「得意技《とくいわざ》」は、実際《じっさい》に役立《やくだ》つワザだったのでしょうか？

筆者《ひっしゃ》が子《こ》どもの頃《ころ》に、書店《しょてん》の棚《たな》にずらりと並《なら》んでいた「怪獣図鑑《かいじゅうずかん》」には、怪獣《かいじゅう》や宇宙人《うちゅうじん》の詳細《しょうさい》な情報《じょうほう》が記《しる》されていた。本《ほん》によって違《ちが》うこともあったけど、基本的《きほんてき》な項目《こうもく》は、①身長《しんちょう》、②体重《たいじゅう》、③出身地《しゅっしんち》、④得意技《とくいわざ》、⑤弱点《じゃくてん》……の5つ。なので、子《こ》どもの頃《ころ》は「図鑑《ずかん》というのはこれらが載《の》っているもの」と思《おも》い込《こ》んでいた。

だが、昆虫図鑑《こんちゅうずかん》や動物図鑑《どうぶつずかん》には「体長《たいちょう》」や「生息地《せいそくち》」「特徴《とくちょう》」などは載《の》っているものの、「得意技《とくいわざ》」や「弱点《じゃくてん》」という項目《こうもく》はない。あれらは怪獣図鑑《かいじゅうずかん》ならではの項目《こうもく》だったのか〜。

このうち、「弱点《じゃくてん》」については『ジュニア空想科学読本《くうそうかがくどくほん》④』で紹介《しょうかい》したので、今回《こんかい》は「得意技《とくいわざ》」

に注目《ちゅうもく》してみよう。

怪獣《かいじゅう》たちは、必《かなら》ず一《ひと》つはズバ抜《ぬ》けた能力《のうりょく》を持《も》っているらしいのだが、それはどれほどスゴいのか？　科学的《かがくてき》に考《かんが》えてみると、実《じつ》はとっても微妙《びみょう》だったりするのである。

◆その能力《のうりょく》は日《ひ》の目《め》を見《み》ない！

たとえば、バルタン星人《せいじん》の得意技《とくいわざ》とは、何《なに》か？　宇宙忍者《うちゅうにんじゃ》とも呼《よ》ばれるこの宇宙人《うちゅうじん》は、分身《ぶんしん》したり、手《て》のハサミからミサイルを発射《はっしゃ》したりするのだが、怪獣図鑑《かいじゅうずかん》にはこんなことがサラリと書《か》いてある。

「1万《まん》m先《さき》のコメツブが見《み》える」

え〜っ、それ、どんな視力《しりょく》なの!?　1万《まん》mといえば、東京《とうきょう》では上野《うえの》から品川《しながわ》までの距離《きょり》。上野《うえの》動物園《どうぶつえん》で親子《おやこ》連《づ》れが幸《しあわ》せそうにおにぎりを食《た》べているとき、そのゴハンの一粒一粒《ひとつぶひとつぶ》が、品川《しながわ》から識別《しきべつ》できるというのだ。

現実《げんじつ》の視力検査《しりょくけんさ》を参考《さんこう》に計算《けいさん》すると、バルタン星人《せいじん》の視力《しりょく》は、なんと600！　人間《にんげん》の視力《しりょく》は、最高《さいこう》で4くらいではないかと言《い》われているから、バルタン星人《せいじん》は、その150倍《ばい》も目《め》がいいことになる。さすがウルトラマンの宿敵《しゅくてき》だ！

このくらいで驚《おどろ》いてはいけない。もっとすごい視力《しりょく》の持《も》ち主《ぬし》もいる。『ウルトラマンタロウ』に出《で》てきた、うす怪獣《かいじゅう》モチロンは、なんと5万《まん》km離《はな》れたモチを発見《はっけん》できるという。モチの直径《ちょっけい》を5cmとするならば、その視力《しりょく》は、計算《けいさん》してビックリ、30万《まん》だ！

この驚異的《きょういてき》な視力《しりょく》は、戦《たたか》いや普段《ふだん》の生活《せいかつ》に役立《やくだ》つのだろうか？

モチロンは、月《つき》から地球《ちきゅう》にやってきた。目的《もくてき》はモチロン、モチを食《た》べることだ。だが、彼《かれ》の身長《しんちょう》は58mで、その目《め》はウスの形《かたち》をした胴体《どうたい》の真《ま》ん中《なか》についているから、目《め》の高《たか》さは35mほどと思《おも》われる。

そんなモチロンが地上《ちじょう》に立《た》つと、視力《しりょく》がどんなによくても、21km以上離《いじょうはな》れたところは、地球《ちきゅう》の丸《まる》みに隠《かく》れてしまって、見《み》えない！　5万《まん》km離《はな》れたモチが見《み》えるはずなのに、その能力《のうりょく》の4万《まん》9979km分《ぶん》は宝《たから》の持《も》ち腐《ぐさ》れということだ。

では、月《つき》にいるときは役立《やくだ》つのか？　月面《げつめん》から地球《ちきゅう》のモチを発見《はっけん》しようにも、月《つき》から地球《ちきゅう》までの距離《きょり》は38万《まん》km。今度《こんど》は、5万《まん》kmの視力《しりょく》では足《た》りない！　オビに短《みじか》し、タスキに長《なが》し、とはモチロンのことですなあ。

視力《しりょく》については、大《おお》ダコ怪獣《かいじゅう》タガールも哀《かな》しい。

この怪獣《かいじゅう》も『ウルトラマンタロウ』に出《で》てきたのだが、彼《かれ》の自慢《じまん》は「2万《まん》mの深海《しんかい》でも、1万《まん》

m先《さき》が見《み》える」こと。深海《しんかい》には太陽《たいよう》の光《ひかり》はまったく届《とど》かないから、これは確《たし》かにすごい能力《のうりょく》だ。ところが、地球《ちきゅう》でもっとも深《ふか》いマリアナ海溝《かいこう》でさえ、水深《すいしん》は1万《まん》911m。タガールはマリアナ海溝《かいこう》をあと9089m掘《ほ》り下《さ》げなければ、実力《じつりょく》を発揮《はっき》できない。

『帰《かえ》ってきたウルトラマン』に登場《とうじょう》したキングマイマイの視力《しりょく》もすごい。なんと10万《まん》km彼方《かなた》が見《み》えるという。

だが、地球《ちきゅう》1周《しゅう》は4万《まん》km。たとえ地球《ちきゅう》の裏側《うらがわ》を見《み》ることができたとしても、地上《ちじょう》でこの能力《のうりょく》を最大《さいだい》に発揮《はっき》できる機会《きかい》はない。

ならば、これは宇宙空間《うちゅうくうかん》の敵《てき》を発見《はっけん》するための視力《しりょく》なのか？　しかしカワイソウなことに、コイツは蛾《が》の怪獣《かいじゅう》なのだ。いくら羽《は》ばたいても、高度数百《こうどすうひゃく》kmの大気圏外《たいきけんがい》に出《で》ると空気《くうき》はなく、羽《はね》はカラ振《ぶ》りするばかり。決《けっ》して宇宙《うちゅう》に行《い》けない。その優秀《ゆうしゅう》な視力《しりょく》で宇宙《うちゅう》に敵《てき》を発見《はっけん》しても、どうすることもできないキングマイマイ……。

輪《わ》をかけて気《き》の毒《どく》なのが、同《おな》じく『帰《かえ》ってきたウルトラマン』に現《あらわ》れたロボネズである。彼《かれ》の自慢《じまん》は、2万《まん》km彼方《かなた》に落《お》ちた針《はり》の音《おと》を聞《き》き分《わ》けられることだ。

2万《まん》kmといえば、地球《ちきゅう》の反対側《はんたいがわ》だ。確《たし》かに悪魔的《あくまてき》な地獄耳《じごくみみ》だが、音《おと》が伝《つた》わるにも時間《じかん》がかかる。秒速《びょうそく》340mで進《すす》む音《おと》が、2万《まん》km離《はな》れたロボネズの耳《みみ》に届《とど》くまでに、16時間《じかん》20分《ぷん》！

ロボネズが地球《ちきゅう》の裏側《うらがわ》の音《おと》を聞《き》いて、何《なに》か重大《じゅうだい》な事実《じじつ》を知《し》ったとしても、それは半日以上前《はんにちいじょうまえ》の出来事《できごと》なのだ。しかも、空《そら》を飛《と》べないネズミのロボット。マッハ1で走《はし》れたとしても、やはり16時間《じかん》20分《ぷん》かかる。現場《げんば》に着《つ》いたときには、すべてが32時間《じかん》40分前《ぷんまえ》に終《お》わっている！

これをムダ足《あし》と言《い》わずになんと言《い》う？

◆ジャイアント馬場《ばば》の5万倍《まんばい》！

かつての怪獣図鑑《かいじゅうずかん》に必《かなら》ず載《の》っていたのが、「巨大《きょだい》な建造物《けんぞうぶつ》や強《つよ》い人間《にんげん》との比較《ひかく》」だった。建造物《けんぞうぶつ》で、よく比較《ひかく》の対象《たいしょう》にされたのは黒部《くろべ》ダムだ。このダムを、化石怪獣《かせきかいじゅう》ステゴンはコナゴナにし、魔神怪獣《まじんかいじゅう》コダイゴンはバラバラにし、ナックル星人《せいじん》はパンチで穴《あな》を空《あ》けるという。

確《たし》かにすごい力《ちから》だが、黒部《くろべ》ダムは工事《こうじ》に16年《ねん》の歳月《さいげつ》をかけ、延《の》べ990万人《まんにん》が工事《こうじ》に参加《さんか》し、171人《にん》もの犠牲者《ぎせいしゃ》を出《だ》して、ようやく完成《かんせい》した日本《にほん》が誇《ほこ》る巨大《きょだい》ダムだ。水《みず》をせき止《と》める堤《つつみ》の高《たか》さは日本一《にっぽんいち》の186m。貯水量《ちょすいりょう》は2億《おく》t。

絶対《ぜったい》に壊《こわ》さないでもらいたいが、もし壊《こわ》したら、本人《ほんにん》たちも無事《ぶじ》では済《す》まない。体重《たいじゅう》1万《まん》3千《ぜん》tのステゴンがコナゴナにしたり、3万《まん》8千《せん》tのコダイゴンがバラバラにしたりしたら、両者《りょうしゃ》とも一瞬《いっしゅん》で崩《くず》れ落《お》ちる2億《おく》tの水《みず》に押《お》し流《なが》されるだろう。パンチで穴《あな》を空《あ》ける体重《たいじゅう》2万《まん》tのナックル星人《せいじん》など、鉄砲水《てっぽうみず》に打《う》たれてぶっ飛《と》んでいく。自慢《じまん》するのはいいが、その後《あと》で自分《じぶん》たちがどうなるかも考《かん》がえよう。

人間《にんげん》との比較《ひかく》もたいへん興味深《きょうみぶか》い。たとえば『帰《かえ》ってきたウルトラマン』に登場《とうじょう》したモグネズンは、キックボクシングのチャンピオン・沢村忠《さわむらただし》の1万倍《まんばい》のキック力《りょく》を誇《ほこ》るという。

沢村忠《さわむらただし》は、1970年前後《ねんぜんご》に人気《にんき》を博《はく》したキックボクシングの大《だい》スターで、公式戦通算《こうしきせんつうさん》241試合《しあい》、233勝《しょう》、228KO《ケーオー》勝《が》ちというズバ抜《ぬ》けて強《つよ》い選手《せんしゅ》だった。

その1万倍《まんばい》のキック力《りょく》というとすごそうだが、モグネズンの体重《たいじゅう》は2万《まん》4千《せん》tであり、これは沢村忠《さわむらただし》の40万倍《まんばい》。なのにキック力《りょく》が1万倍《まんばい》ということは、体重《たいじゅう》あたりのキック力《りょく》では、沢村選手《さわむらせんしゅ》の40分《ぶん》の1しかないことになる。弱《よわ》い！

『マグマ大使《たいし》』に出《で》てきたグラニアは、片手《かたて》の力《ちから》がジャイアント馬場《ばば》500人分《にんぶん》もあるらしい。しかし、体重《たいじゅう》は730tとジャイアント馬場《ばば》の5千倍《せんばい》。これも、体重《たいじゅう》あたりの力《ちから》で比《くら》べると、馬場先生《ばばせんせい》の10分《ぶん》の1にすぎない。

『ウルトラQ《キュー》』のゴルゴスも、ぶちかましは横綱《よこづな》・大鵬《たいほう》の1万倍《まんばい》だというが、体重《たいじゅう》は大鵬《たいほう》の70万《まん》倍《ばい》もある。

こうしてみると、どうも引《ひ》き合《あ》いに出《だ》された選手《せんしゅ》たちのほうがすごくないか？

体重《たいじゅう》あたりの破壊力《はかいりょく》でいえば、キックの鬼《おに》・沢村忠《さわむらただし》のキック力《りょく》は、モグネズンの40倍《ばい》！　プロレス界《かい》に君臨《くんりん》したジャイアント馬場《ばば》のチョップは、グラニアの10倍《ばい》！　昭和《しょうわ》の大横綱《だいよこづな》・大鵬幸《たいほうこう》喜《き》のぶちかましは、ゴルゴスの70倍《ばい》！　力士図鑑《りきしずかん》やプロレスラー図鑑《ずかん》には、ぜひともこれらの「得意技《とくいわざ》」を載《の》せていただきたい！

なお、怪獣王《かいじゅうおう》ゴジラは「ゴジラの尻尾《しっぽ》は、ジャイアント馬場《ばば》の5万倍《まんばい》」だというが、われらの馬場先生《ばばせんせい》に尻尾《しっぽ》はないっ。どういう比較《ひかく》なのかなあ、これ？

◆それは自慢《じまん》なのか？

何《なに》と比較《ひかく》しているのかわからない自慢《じまん》は、他《ほか》にもある。

ギャンゴは「腕《うで》はゾウ１０００頭《とう》を持《も》ちあげる」。また、ドラコは「腕《うで》の力《ちから》はインド象《ぞう》10万頭《まんとう》分《ぶん》もある」。

なるほど、ギャンゴのいう「ゾウ」がインドゾウのことだとすれば、ドラコはギャンゴの１０倍《ばい》も強《つよ》いのか……と、つい納得《なっとく》しそうになるが、文章《ぶんしょう》というものは、よく読《よ》まなければなりません。

ギャンゴは「ゾウ１０００頭《とう》を持《も》ち上《あ》げる腕力《わんりょく》がある」と言《い》っているわけで、これはよくわかる。ところが、ドラコの主張《しゅちょう》は「腕《うで》の力《ちから》がインドゾウの10万倍《まんばい》」。インドゾウの腕《うで》の力《ちから》って、どれくらい？　そもそも、インドゾウの腕《うで》ってどこなんだろう？　うーん……。

比較《ひかく》の対象《たいしょう》はよくわかるが、それでいいの？　と思《おも》ってしまうのは、大食《おおぐ》い自慢《じまん》だ。

『ウルトラＱ《キュー》』に出《で》てきたゴメスは牛《うし》30頭《とう》を、『ウルトラマンタロウ』に登場《とうじょう》した食《く》いしん坊怪《ぼうかい》獣《じゅう》モットクレロンはキャベツ５００個《こ》、ミカン３千個《ぜんこ》をペロリと食《た》べるという。一瞬《いっしゅん》「さすが！」

と思《おも》ったが、調《しら》べてみるとどちらの怪獣《かいじゅう》も体重《たいじゅう》は3万《まん》t。

彼《かれ》らの食欲《しょくよく》を体重《たいじゅう》70kgの人間《にんげん》に置《お》き換《か》えると、牛《うし》30頭《とう》は42g、キャベツ500個《こ》は1・6g、ミカン3千個《ぜんこ》に至《いた》っては0・7gでしかない。めちゃめちゃ小食《しょうしょく》じゃん！

逆《ぎゃく》にすごすぎるのが、オイル怪獣《かいじゅう》ペスターだ。1日《にち》に石油《せきゆ》1兆円分《ちょうえんぶん》を飲《の》み干《ほ》すという！

この原稿《げんこう》を書《か》いている現在《げんざい》、原油《げんゆ》は1L《リットル》あたり46円《えん》ぐらいだが、ペスターが登場《とうじょう》した『ウルトラマン』の放送時《ほうそうじ》、わずか6・8円《えん》だった。そんな時代《じだい》に、1兆円《ちょうえん》もの石油《せきゆ》を飲《の》むのは大変《たいへん》なことだ。重量《じゅうりょう》にして1億《おく》2500万《まん》t。ペスターの体重《たいじゅう》は2万《まん》5千《せん》tだから、自分《じぶん》の体重《たいじゅう》の5千《せん》倍《ばい》である。これは筆者《ひっしゃ》が一晩《ひとばん》にビールを大《だい》ジョッキで51万杯《まんばい》飲《の》むようなもの。いくらお酒好《さけず》きでも、そんなに飲《の》めまっしぇ〜ん。

ふ〜む。怪獣《かいじゅう》たちの得意技《とくいわざ》は、結局《けっきょく》すごいのかすごくないのか、よくわからない。でも、彼《かれ》らの得意技《とくいわざ》について考《かんが》えるのは、とても楽《たの》しい。楽《たの》しませることこそが、彼《かれ》らの最大《さいだい》の得意技《とくいわざ》なのではないかなあ。

本書は『ジュニア空想科学読本⑥』（角川つばさ文庫／二〇一五年十一月刊行）を加筆・修正してかき下ろしを加え、単行本化したものです。

また、本書では、計算結果を必要に応じて四捨五入して表示しています。したがって、読者の皆さんが、本文に示された数値と方法で計算しても、まったく同じ結果にはならない場合があります。間違いではありませんので、ご了承ください。

『ジュニ空《くう》』読者《どくしゃ》のための

せひ読《よ》んでみて!空《くう》想《そう》科《か》学《がく》のおススメ本《ぼん》!

『ジュニア空想科学読本《くうそうかがくどくほん》』を書《か》くにあたって、僕《ぼく》はさまざまな資料《しりょう》を使《つか》っている。ＤＶＤやネットも活用《かつよう》しているけれど、たくさんの本《ほん》も読《よ》む。そして「やっぱり本《ほん》は面白《おもしろ》いなあ」と感《かん》じることが、とても多《おお》い。

ここでは、僕《ぼく》が『ジュニ空《くう》』を書くために読《よ》んだ本《ほん》のなかから、読者《どくしゃ》の皆《みな》さんにも読《よ》んでもらいたいものを紹介《しょうかい》したい。どれも子《こ》ども向《む》けというわけではなく、少々難《しょうしょうむずか》しいものもあるけれど、機会《きかい》があったら、ぜひ目《め》を通《とお》してほしい。読《よ》み終《お》わったとき、世界《せかい》がちょっと変《か》わって見《み》えるかもしれない!

◆『寿命《じゅみょう》図鑑《ずかん》 生《い》き物《もの》から宇宙《うちゅう》まで万物《ばんぶつ》の寿命《じゅみょう》をあつめた図鑑《ずかん》』

絵《え》：やまぐちかおり　編著《へんちょ》：いろは出版《しゅっぱん》／いろは出版《しゅっぱん》

自然界《しぜんかい》では、「まったく別《べつ》のものに見《み》える現象《げんしょう》が、実《じつ》は共通点《きょうつうてん》を持《も》つ」ことがある。たとえば、ロウソクが燃《も》えるのと、人間《にんげん》が息《いき》をするのは、どちらも「酸素《さんそ》を消費《しょうひ》して、二酸化《にさんか》炭素《たんそ》と水蒸気《すいじょうき》と熱《ねつ》を出《だ》す」という現象《げんしょう》だ。こうした「見《み》えない共通点《きょうつうてん》」を見《み》つけることが、科学《かがく》の方法《ほうほう》の一《ひと》つであり、楽《たの》しさでもある。

この本《ほん》は、その楽《たの》しさに満《み》ちている。生《い》き物《もの》には寿命《じゅみょう》があるが、それは機械《きかい》も建物《たてもの》も星《ほし》も同《おな》じ。この「寿命《じゅみょう》」という一《ひと》つの共通点《きょうつうてん》に注目《ちゅうもく》し、３２４の生物《せいぶつ》や建物《たてもの》などの寿命《じゅみょう》と、それらが限《かぎ》られた寿命《じゅみょう》のなかで、どんなふうに「生《い》きる」かが紹介《しょうかい》されている。

巻末《かんまつ》では、虹《にじ》からブラックホールまで、右《みぎ》の３２４の寿命《じゅみょう》が短《みじか》い順《じゅん》に並《なら》べられている。「あらゆるものを寿命《じゅみょう》で見《み》る」という方針《ほうしん》が徹底《てってい》されていて、とても楽《たの》しい。

実際《じっさい》には、虹《にじ》より寿命《じゅみょう》の短《みじか》いものはたくさんある。しかし、この本《ほん》を読《よ》むことによって「寿命《じゅみょう》の長《なが》いもの、短《みじか》いものを探《さが》そう」という、それまでは思《おも》いもしなかった考《かんが》え方《かた》が身《み》につくだろう。大切《たいせつ》なのは、知識《ちしき》よりも考《かんが》え方《かた》。この本《ほん》は、科学《かがく》への素敵《すてき》な入《い》り口《ぐち》になる。

◆『カタツムリの生活《せいかつ》』

著《ちょ》：大垣内宏《おおがいとひろし》／築地書館《つきじしょかん》

「いろいろな物《もの》の共通点《きょうつうてん》を見《み》つけるのが科学《かがく》の方法《ほうほう》」と書《か》いたばかりだが、一《ひと》つのものだけを徹底的《てっていてき》に研究《けんきゅう》するのも科学《かがく》のあり方《かた》だ。

この本《ほん》で、著者《ちょしゃ》が集中的《しゅうちゅうてき》に迫《せま》るのは、カタツムリ。どんな種類《しゅるい》がいるのか？　何《なに》をどんなふうに食《た》べるのか？　あの角《つの》のような目《め》でどうやって見《み》ているのか？　殻《から》は何《なん》の役《やく》に立《た》っているのか？　どうやって子《こ》どもを産《う》むのか？　そして気《き》になる「歩《ある》くスピードは」？

これらが一《ひと》つずつ丁寧《ていねい》に語《かた》られていく。そのゆったりした文章《ぶんしょう》と、必《かなら》ず面白《おもしろ》いことに出会《であ》える安心感《あんしんかん》は、まるでカタツムリの背中《せなか》に乗《の》って、雨上《あめあ》がりの草《くさ》むらを散歩《さんぽ》するかのようだ。

あとがきによれば、著者《ちょしゃ》は生物学者《せいぶつがくしゃ》ではなく、別《べつ》の仕事《しごと》を持《も》っておられ、カタツムリとは

「趣味"としてのお付き合い」だという。科学は専門家だけのものではなく、自然と正面から向き合《あ》うことなのだ。そう思《おも》えて、僕《ぼく》がとても嬉《うれ》しくなった本《ほん》でもある。

◆『夢《ゆめ》をつかもう！ ノーベル賞感動物語《しょうかんどうものがたり》』

著《ちょ》：高橋《たかはし》うらら　絵《え》：森川泉《もりかわいずみ》／集英社《しゅうえいしゃ》みらい文庫《ぶんこ》

ノーベル賞《しょう》を受賞《じゅしょう》する科学者《かがくしゃ》は、普通《ふつう》の人《ひと》とはぜんぜん違《ちが》う大天才《だいてんさい》で、子《こ》どものときからズバ抜《ぬ》けて優秀《ゆうしゅう》だった……と思《おも》っているかもしれない。でも、決《けっ》してそうではないことを教《おし》えてくれるのが、この本《ほん》だ。

歴史《れきし》に名《な》を刻《きざ》んだ科学者《かがくしゃ》にも、小中学生《しょうちゅうがくせい》のときに勉強《べんきょう》を苦手《にがて》にしていた人《ひと》は少《すく》なくない。ただし共通《きょうつう》するのは、何《なに》かに夢中《むちゅう》だったことだ。2度《ど》もノーベル賞《しょう》を受《う》けたマリー・キュリーは、本《ほん》を読《よ》むときはまわりのことが目《め》に入《はい》らなかった。ニュートリノを検出《けんしゅつ》した小柴昌俊博士《こしばまさとしはかせ》も、いつも本《ほん》を読《よ》んでいたので目《め》が真《ま》っ赤《か》だった。iPS細胞《さいぼう》を開発《かいはつ》した山中伸弥博士《やまなかしんやはかせ》は、時計《とけい》やラジオを分解《ぶんかい》するのが好《す》きで、バラバラにして元《もと》に戻《もど》せなくなり、よく叱《しか》られた。

自分《じぶん》の好《す》きなことに打《う》ち込《こ》むと、知《し》らず知《し》らずのうちに、誰《だれ》からも教《おし》えてもらえない頭《あたま》の使《つか》い方《かた》ができるようになる。それが独創的《どくそうてき》な研究《けんきゅう》につながっていったのではないだろうか。

もちろん、みんながノーベル賞学者《しょうがくしゃ》になる必要《ひつよう》はないけれど、夢中《むちゅう》になれるものがあると、自《じ》分《ぶん》にしかできない考《かんが》え方《かた》や感《かん》じ方《かた》が身《み》につく。それは素晴《すば》らしいことだ。

◆『旅人《たびびと》』

著《ちょ》：湯川秀樹《ゆかわひでき》／角川文庫《かどかわぶんこ》など

僕《ぼく》が科学者《かがくしゃ》になりたいと思《おも》ったのは、特撮《とくさつ》やアニメに出《で》てくる科学者《かがくしゃ》と、湯川秀樹博士《ゆかわひできはかせ》に憧《あこが》れたからだ。湯川博士《ゆかわはかせ》は日本《にほん》で初《はじ》めてノーベル賞《しょう》を受賞《じゅしょう》(１９４９年《ねん》)した物理学者《ぶつりがくしゃ》で、中間子《ちゅうかんし》の存《そん》在《ざい》を予言《よげん》した(35年《ねん》)功績《こうせき》を称《たた》えて授賞《じゅしょう》された。

原子《げんし》は、プラスの電気《でんき》を持《も》った「原子核《げんしかく》」のまわりを、マイナスの電気《でんき》を持《も》った「電子《でんし》」が回《まわ》るという構造《こうぞう》になっている。32年《ねん》にチャドウィックという科学者《かがくしゃ》が、原子核《げんしかく》はプラスの電気《でんき》を持《も》った「陽子《ようし》」と、電気《でんき》を持《も》たない「中性子《ちゅうせいし》」でできていることを明《あき》らかにした。すると、科学界《かがくかい》

は騒然《そうぜん》。それだと、陽子同士《ようしどうし》がプラスの電気《でんき》で反発《はんぱつ》し合《あ》う力《ちから》で、原子核《げんしかく》はバラバラになり、原子《げんし》も存在《そんざい》できないことになってしまう！

これに答《こた》えを出《だ》したのが、湯川博士《ゆかわはかせ》だ。陽子《ようし》と中性子《ちゅうせいし》は「中間子《ちゅうかんし》」という粒子《りゅうし》の働《はたら》きで結《むす》びついているという理論《りろん》を提唱《ていしょう》。47年《ねん》に中間子《ちゅうかんし》が発見《はっけん》され、ノーベル賞《しょう》に決《き》まった。

『旅人《たびびと》』は、生《お》い立《た》ちから中間子理論《ちゅうかんしりろん》の完成《かんせい》までを記《しる》した自伝《じでん》だ。完成間際《かんせいまぎわ》の頃《ころ》、博士《はかせ》は「陽子《ようし》と中性子《ちゅうせいし》は、電子《でんし》が結《むす》びつけるのでは？」と考《かんが》え、苦悶《くもん》された。その文章《ぶんしょう》には読《よ》むたびに引《ひ》き込《こ》まれ、「博士《はかせ》、早《はや》く中間子《ちゅうかんし》に気《き》づいてください！」と的外《まとはず》れな応援《おうえん》をしてしまう。博士《はかせ》は文章《ぶんしょう》の力《ちから》も優《すぐ》れていたと伝《つた》えられるが、本当《ほんとう》にそう思《おも》う。

◆『アインシュタインが考《かんが》えたこと』

著《ちょ》：佐藤文隆《さとうふみたか》／岩波《いわなみ》ジュニア新書《しんしょ》

僕《ぼく》は高校《こうこう》2年《ねん》のとき、自分《じぶん》の進《すす》むべき道《みち》をはっきり自覚《じかく》した。きっかけは佐藤文隆先生《さとうふみたかせんせい》の『宇《う》宙《ちゅう》のしくみ』(現在《げんざい》は朝日文庫《あさひぶんこ》)という本《ほん》を読《よ》んだこと。佐藤先生《さとうせんせい》は湯川博士《ゆかわはかせ》の弟子《でし》で、京都大学《きょうとだいがく》

の教授《きょうじゅ》だ。よし、自分《じぶん》も京大《きょうだい》に入《はい》り、佐藤先生《さとうせんせい》のもとで宇宙論《うちゅうろん》を勉強《べんきょう》しよう！

ところが、京大《きょうだい》には落《お》ちてしまった。うなだれて鹿児島《かごしま》に帰《かえ》る列車《れっしゃ》のなかで、新聞《しんぶん》を読《よ》んでビックリ。「国公立大学教員異動《こっこうりつだいがくきょういんいどう》」という記事《きじ》に「佐藤文隆教授《さとうふみたかきょうじゅ》　退官《たいかん》」と書《か》いてある。来年《らいねん》こそ京大《きょうだい》に受《う》かるぞ！と思《おも》っていたのに、僕《ぼく》はますますガッカリした……。

結局《けっきょく》、僕《ぼく》は入《はい》った別《べつ》の大学《だいがく》をやめてしまい、科学者《かがくしゃ》になれなかったけれど、湯川博士《ゆかわはかせ》から佐藤《さとう》先生《せんせい》へ、そして自分《じぶん》へとバトンが渡《わた》されることを夢想《むそう》して、必死《ひっし》に勉強《べんきょう》した日々《ひび》は忘《わす》れない。

『宇宙《うちゅう》のしくみ』ではなく、この本《ほん》を紹介《しょうかい》するのは、まずこちらを読《よ》んでほしいから。宇宙《うちゅう》のことを理解《りかい》するのに欠《か》かせないアインシュタインの相対性理論《そうたいせいりろん》への入《い》り口《ぐち》が、本当《ほんとう》にわかりやすく説明《せつめい》されている。

そして、佐藤先生《さとうせんせい》の本《ほん》を紹介《しょうかい》するのは、僕《ぼく》が先生《せんせい》から受《う》け取《と》れなかったバトンを受《う》け取《と》って、僕《ぼく》がなれなかった科学者《かがくしゃ》になってくれる人《ひと》がいるといいなあ、と願《ねが》うからだ。そんな日《ひ》が来《き》たらどんなに嬉《うれ》しいか。そう思《おも》って、僕《ぼく》は今日《きょう》も原稿《げんこう》を書《か》いている。

読本シリーズ

柳田理科雄・著
藤嶋マル、きっか・絵

タケコプターが本当にあったら空を飛べるの？

塔から地面まで届くラプンツェルの髪は**どれだけ長い**!?

かめはめ波を撃つにはどうすればいい？

——その疑問、スパッと解き明かします

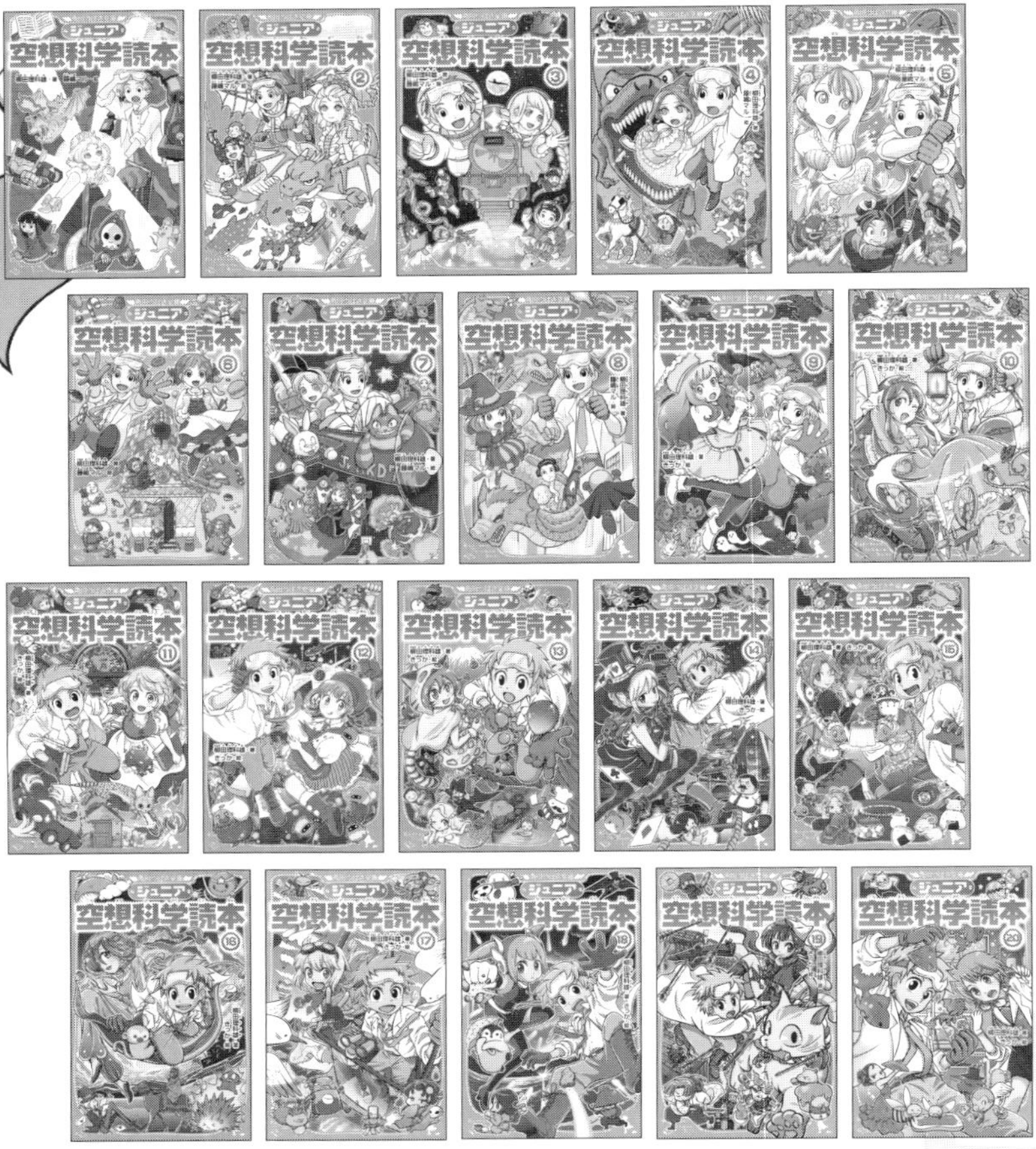

大人気！
ジュニア空想科学
マンガやアニメを
科学的に検証する
「日本一笑える
理科の本」！
角川つばさ文庫で
好評発売中！

柳田理科雄《やなぎたりかお》／著

1961年鹿児島県種子島生まれ。東京大学中退。学習塾の講師を経て、96年『空想科学読本』を上梓。99年、空想科学研究所を設立し、マンガやアニメや特撮などの世界を科学的に研究する試みを続けている。明治大学理工学部非常勤講師も務める。

藤嶋《ふじしま》マル／絵

1983年秋田県生まれ。イラストレーター、マンガ家として活躍中。

永地《えいち》／絵

(『ジュニ空』読者のための「ぜひ読んでみて！　空想科学のおススメ本！」)
イラストレーター、マンガ家として活躍中。作画を担当したマンガ作品に『Yの箱舟』などがある。

愛蔵版《あいぞうばん》

ジュニア空想科学読本《くうそうかがくどくほん》⑥

著《ちょ》　柳田理科雄《やなぎたりかお》
絵《え》　藤嶋《ふじしま》マル

2018年 1 月　初版1刷発行
2021年 7 月　初版3刷発行

発行者　小安宏幸
発　行　株式会社汐文社
〒102-0071　東京都千代田区富士見 1-6-1
富士見ビル1F
TEL03-6862-5200 FAX03-6862-5202
印　刷　大日本印刷株式会社
製　本　大日本印刷株式会社
装　丁　ムシカゴグラフィクス

ISBN978-4-8113-2409-8　C8340　　N.D.C.400